शरद जोशी का उपन्यास

मैं, मैं और केवल मैं

शोध-ग्रन्थ

ले. कमलमुख बी.ए.

शरद जोशी

मैं, मैं और केवल मैं

शोध-ग्रन्थ

ले. कमलमुख बी.ए.

वाणी प्रकाशन

वाणी प्रकाशन
4695, 21-ए, दरियागंज, नयी दिल्ली 110 002

शाखा
अशोक राजपथ, पटना 800 004

फ़ोन : +91 11 23273167 फ़ैक्स : +91 11 23275710

www.vaniprakashan.in
vaniprakashan@gmail.com
sales@vaniprakashan.in

MAIN, MAIN AUR KEWAL MAIN
SHODH-GRANTH LE. KAMALMUKH B.A.
by Sharad Joshi

ISBN : 978-93-5000-438-8
Novel

प्रथम संस्करण 1993
द्वितीय संस्करण 2010
तृतीय संस्करण 2014
चतुर्थ संस्करण 2018

मूल्य : ₹ 150

बालाजी ऑफ़सेट, दिल्ली-110 093 में मुद्रित

वाणी प्रकाशन का लोगो मक़बूल फ़िदा हुसेन की कूची से

स्वर्गीय श्री शरद जोशी का विशाल पाठक-वर्ग उनकी इस नवीनतम कृति का, निस्सन्देह, स्वागत करेगा। उनके इस अद्भुत और अद्वितीय व्यंग्य उपन्यास को प्रकाशित करना हमारे लिए भी एक सुखद और अनुपम अनुभव रहा है।

– **प्रकाशक**

मैं, मैं और केवल मैं

शोध-ग्रन्थ

ले. कमलमुख बी.ए.

समर्पण

जीवन संगिनी को...
लो अब तो खुश हो।
हो गया सो तुम्हारा
'कमु'
(मेरे प्यार का नाम)

(काश समर्पित कर पाता पुस्तक को इस, लम्बे पाँच मिनटों की स्मृति में उन, जो थे बिताये मैंने 'अज्ञेय' जी के साथ में कभी! गृहकलह से कुछ हो न सका। चित्रा कहती है ना— मैन प्रॅपोज़ेज़ गॉड डिस्पोज़ेज़।)

धीरे से आना बगियन में
ओ भौंरा
धीरे से आना

प्रकाशकीय स्पष्टीकरण

यों पुस्तक के विषय में कुछ नहीं कहना है। जो हो रहा है सो ठीक हो रहा है, मगर एक बात साफ है—ऐसा बार-बार नहीं चलेगा प्रकाशन में। उदारता के साथ स्तर भी महत्त्वपूर्ण पक्ष है। प्रकाशन स्तर ही नहीं लेखन स्तर भी। फिर भी हमें कुछ नहीं कहना है। लेखक उदीयमान है। आगे चमक सकता है। हिन्दी में ऐसे कई उदाहरण हैं जब लेखकों ने आरम्भ में घटिया चीजें लिखीं, पर बाद में ठीक लिखने लगे। श्री कमलमुख, अजीब नाम है इनका। ढेरों पुस्तकों के लेखक हैं। कोई उन्हें पढ़ना नहीं चाहेगा। वाचनालयों में शायद बिक जाएँ। ऐसे लेखकों का क्या किया जाए यह समस्या है। इस पर हमारे अपने विचार हैं, पर इस पुस्तक के हित में मैं उन्हें यहाँ नहीं दे सकता। आज से कई वर्ष पूर्व मजबूरी या उदारता के किन्हीं क्षणों में यह पुस्तक विचारार्थ ली थी, जिसे लेखक ने स्वीकृति समझा। फिर कई बातें हुईं—कहना व्यर्थ है। पुस्तक के साथ लम्बी कहानी है—दुखान्त कहानी है, जिसका अन्तिम दर्दीला अंश इस पुस्तक का प्रकाशन है। खैर! यह विश्वास दिलाते हुए कि आगे कमलमुख की कोई पुस्तक हमारे यहाँ से प्रकाशित नहीं होगी, अपनाइए यह निवेदन।

भूमिका

चाहता था भूमिका मेरे बजाय कोई दूसरा विद्वान लिख दे। सम्भव नहीं हुआ। मैंने कई तथाकथित यशस्वी लेखकों से इस सम्बन्ध में पत्र-व्यवहार भी किया, पर उत्तर नहीं मिले। एक विद्वान चार दिन घर पर रहे। खाया-पीया, सिनेमा देखा, पर जब मैंने पुस्तक दिखाई तो बात टाल गये। इन साहब के खिलाफ मैं एक लेख लिख रहा हूँ। इधर एक सज्जन स्वयं पीछे पड़े कि लाओ कमलमुख भूमिका मैं लिख दूँ, पर मुझे मंजूर नहीं हुआ। सोचिए किसी पानवाले की लिखी भूमिका का क्या असर पड़ता। आखिर मैंने स्वयं ही बढ़िया-सा निबन्ध तैयार किया और कुछ विद्वानों के पास भेजा कि वे हस्ताक्षर भर कर दें। पर अहंवादियों को वह भी स्वीकार नहीं हुआ। एक भूमिका ऐसी भी आयी, जिसमें वे जनाब मुझसे ही असहमत थे—विषयवस्तु, शैली-भाषा आदि साधारण बातों में—और चाहते थे यह प्रकाशित हो जाए। बताइए लेखक से ही असहमत रहकर उसी की पुस्तक से अपनी बात कैसे कह सकते हैं। जाने क्यों मेरे प्रकाशक उस भूमिका से शत-प्रतिशत सहमत नजर आते थे। वे कंपोजिंग में दे रहे थे, पर मैंने छीनकर फाड़ डाली। प्रेस में दृश्य उपस्थित हो गया। कंपोजीटरों ने मुझे मालिक के कहने पर बाहर निकलवा दिया। अस्तु, मैं प्रयत्न करूँगा कि आगामी संस्करण में किसी अच्छे लेखक, या नहीं मिलता तो किसी नेता की भूमिका दी जा सके। भूमिका तो लिखी हुई है, दस्तखत भर करवाना है।

—कमलमुख

सर्वाधिकार

सर्वाधिकार लेखक के पास बिलकुल सुरक्षित है। पुस्तक के किसी अंश को विश्व की किसी भी भाषा में प्रकाशित करने के लिए लेखक से पूछ लेना भर काफी होगा। लेखक अहोभाग्य समझेगा और स्वीकृति मिलेगी। विश्वविद्यालयों को स्वतन्त्रता है कि वे इस शोध-ग्रन्थ पर डॉक्टरेट प्रदान करें।

पुस्तक की प्रशंसा में लिखी आलोचनाओं, टिप्पणियों तथा व्यक्तिगत पत्रों को आगामी संस्करण में (यदि छपा तो) अवश्य लिया जाएगा।

पुस्तक का मूल्य तीन रुपये : खरीदकर पढ़ने वालों के लिए।

मेरा परिचय

उत्तर प्रदेश की रामलीलाओं में प्रायः आपने इस पंक्ति के लेखक को बजरंगबली का अभिनय करते देखा होगा। यद्यपि उस समय मेरा चेहरा ढंका रहता है, पर एक बार जो मुझे देख लेता है जीवनभर भुलाए नहीं भूलता। कई सुन्दरियाँ मुझे प्रणाम करती हैं। किसी से पूछ भर लीजिए कमलमुख को देखा है, उनकी आँखों में बजरंगबली का चित्र आ जाएगा। वह मैं हूँ। मैं। मैं और केवल मैं।

पर वह मेरा साहित्यकार का रूप नहीं। रामलीलाओं के मौसम के बाद मुझे कुरते-पाजामे में देखिए। स्वस्थ, गोरा युवक, तेज आँखें, पीछे लहराते केश, कपाल पर आयी लट और भव्य व्यक्तित्व। कौन कह सकता है कि मैं तब लेखक नहीं लगता। जहाँ रामायण पढ़ी जाती है वहाँ हनुमान अवश्य पधारते हैं। उसी प्रकार जहाँ साहित्य गोष्ठी या कवि सम्मेलन होता है, मैं अवश्य रहता हूँ। कई बार मेरे नगर में कुछ धूर्तों ने ऐसी गोष्ठी आयोजित करने की कुचेष्टा की जहाँ मैं न आ सकूँ। पर जब संयोजक स्वागत वाक्य बोलने खड़े हुए। उन्होंने देखा मैं विद्यमान हूँ।

यह सच है कि मेरी पुस्तकें अप्रकाशित रही हैं, मेरी रचनाएँ पाठक कभी पढ़ नहीं सके, पर इसमें मेरा क्या दोष। दोष तो उन प्रकाशकों और सम्पादकों का है जो मेरे साहित्य और मेरे पाठकों के बीच लौह

दीवार बने खड़े हैं। यों मुझे कौन नहीं जानता। मेरे एक साहित्यिक मित्र बताते हैं—लड़कियों में मेरी अकसर चर्चा चलती रहती है। गोष्ठियों में रचना पाठ के लिए मेरा नाम आने के पूर्व सकता-सा छा जाता है, आनन्द की सृष्टि होने लगती है।

दुःख यह है कि मैं किसी गुट में नहीं हूँ। इसी कारण मेरी रचना की वाह-वाह के मौखिक प्रमाण-पत्र नहीं मिलते। मेरे मित्रों ने मुझे जमाया भी है और बहुत जमता देख उखाड़ भी दिया है। धीरे-धीरे स्थान बन गया है। संघर्ष करके स्थान बनाना इसी को कहते हैं। पुरानी पोढ़ी मुझे स्थान नहीं देती, नयी पीढ़ी मुझे जमने नहीं देती। इसकी सन्धि-रेखा पर मेरे यश का महल खड़ा है। (क्या सुन्दर वाक्य है!)

मैं कवि हूँ, कहानीकार हूँ, उपन्यासकार हूँ, निबन्धकार हूँ, आलोचक हूँ, अभिनन्दन-पत्र लिख सकता हूँ, कोर्स की किताबें लिख सकता हूँ, लोकगीत मैंने बटोरे हैं। रेडियो फीचर में मुझे कमाल हासिल है और जीवनियाँ लिखने का मुझे बड़ा चाव है। जुगलकिशोर आटा चक्कीवाले के पिता जी की जीवनी मैंने ही लिखी है, जिसे पढ़कर आज भी जुगलकिशोर की आँखों में आँसू आ जाते हैं। जीवनी मुफ्त में बँटती है, रायल्टी में मुझे आटा मिलता है। साहित्यकार यह देख जलते हैं। हिन्दी में इने-गिने ऐसे हैं जो लिखकर पेट पाल रहे हैं। मैं उनमें से ही हूँ।

मैं अकसर मित्रों से कहा करता हूँ मुझे मर जाने दो। वे कहते हैं कि इससे अच्छा तो यह है कि तुम पुस्तकें लिखो। वे सच सकते हैं। लिखना ही जीवन है। पर अब लिखे हुए कागज घर में इतने बढ़ गये हैं कि मूल्यांकन होना आवश्यक हो गया है। रद्दीवाले की तराजू का मूल्यांकन नहीं, साहित्यिक मूल्यांकन। किसी युग-प्रवर्तक समीक्षक की प्रतीक्षा करूँ, जो आये और हिन्दी साहित्य के सुबोध इतिहास में मेरा नाम डलवाने के लिए जान लड़ा दे। नहीं की जाती ऐसी लम्बी प्रतीक्षा। कोई तेरी एक नहीं सुने तो एकला चल रे भाई।

कहा है न—अपनी ज्योति आप बन, तू आप बन अपनी शरण। और जबकि मैं स्वयं आलोचक हूँ, तटस्थता मेरा बुनियादी गुण है। क्यों नहीं मैं स्वयं को आगे लाने के लिए सक्रिय चेष्टा करूँ। यह पुस्तक एक नम्र चेष्टा है जिसमें आप मेरी झलक भर पा सकेंगे। मेरे समूचे व्यक्तित्व के लिए मेरा साहित्य देखिए। वह मुद्रित रूप में जनसाधारण को उपलब्ध हो सके इस हेतु आन्दोलन चलाइए। अकादमियों को लिखिए, जोर डालिए। आपके कोई प्रकाशक—मित्र हों तो उनसे घुमा-फिराकर मेरे विषय में बातचीत कीजिए, उन्हें यह आइडिया दीजिए कि मैं बहुत महान लेखक हूँ, और यदि मेरी पुस्तकें प्रकाशित की जाएँ तो घाटे का सौदा नहीं रहेगा।

प्रसंग पर आ जाऊँ। मेरा परिचय। मैं कौन हूँ? विषय कुछ ऐसा है कि अपनी प्रशंसा स्वयं करनी पड़ रही है। लेखक के जीवन और उसके साहित्य का घनिष्ठ सम्बन्ध रहता है। मेरा तो जीवन ही साहित्य है। वर्षों बाद जब विश्वविद्यालयों के रिसर्च छात्र मेरे विषय में पता लगाएँगे और सामग्री बटोरेंगे तो वे हैरान रह जाएँगे कि बीसवीं शती के उत्तरार्ध में हिन्दी के गगन पर नक्षत्र उदित हुआ था जो वर्षों तक स्वयं अचीन्हा रहकर पथ आलोकित करता रहा। कहते हैं कि असली साहित्यकार का सम्मान उसके युग में नहीं होता। मेरे विषय में यह उक्ति बिलकुल सच है। "इस युग में मेरा मान नहीं, उस युग में मेरा मान होगा"—मेरी प्रारम्भिक रचना की यह पंक्ति हैं। अपमान का घूँट जहाँ पीने को मिलता है वहीं इसे गुनगुना लेता हूँ।

आलोचना सम्बन्धी मेरे विचार, उपन्यास के खंड, सृजन की प्रक्रिया, मेरी कविताओं के सप्तक स्वर के नमूने पढ़ने पर आपको मेरे विषय में साधारण जानकारी हो सकेगी। अपने इंटरव्यू में मैंने जीवन के कुछ पक्षों पर प्रकाश डाला है। मेरे विषय में सनसनीखेज सामग्री कतिपय समाचार-पत्रों में उपलब्ध है। फाइलें देखनी पड़ेंगी। मेरा परम मित्र दत्तू पानवाला यदि जीवित रहा तो कुछ सामग्री वह भी दे सकेगा।

जीवन से बढ़कर प्रश्न है साहित्य सम्बन्धी मेरे विचार। प्रश्न महत्त्वपूर्ण और बड़ी सीमा तक छात्रोपयोगी भी है। मैं प्रायः सोचता हूँ साहित्य क्या है? डायरी में अपनी गुत्थी को सुलझाने की मैंने चेष्टा की है। पूरी डायरी तो जाने कब प्रकाश में आये, अभी खंड के रूप में मेरे विचार पढ़िए :

'साहित्य मानव की आत्मा है और मानव साहित्य का परमात्मा।'

'यदि राजनीति, दर्शन, विज्ञान आदि सौ सुनार के हैं तो साहित्य एक लुहार का है। साहित्य का काटा कभी बच नहीं पाता। जो साहित्य में जी गया वह विश्व में जी गया।'

'साहित्य अपने में सौ बोरियत है, पर साथ ही सौ बोरियत की एक दवा है। ऊबा हुआ इन्सान प्रायः मासिक पत्रिका उठा लेता है। अतः साहित्य बोरियत से 'इस्केप' है।'

'साहित्य गंगा है, लेखक पंडा है। पाठक नहाने आता है, उसे नहला, मंत्र पढ़, मन बहला। दक्षिणा अवश्य मिलेगी। आस्था रख।'

'विश्व एक चरनोइ है। जो श्रेष्ठ है वह साहित्य अपने में समेट लेता है। पाठक श्रेष्ठता की तलाश करने वाला अन्धा महत्त्वाकांक्षी है।'

'तब तक लिखता रह जब तक पाठक मजबूरी में आँखें न बन्द कर ले। उसकी थकी निराश आँखों में तेरी सफलता के दीये जल रहे हैं।'

'साहित्य प्रारम्भ में साधना है। बाद में प्रकाशक की आराधना।'

'साहित्य देवता के मन्दिर में जाते समय जूते उतारना भूल होगी। अन्दर आवश्यकता पड़ सकती है।'

'जो इस जन्म में पाप करेगा, वह अगले जन्म में लेखक होगा। जो इस जन्म में पुण्य करेगा, वह अगले जन्म में प्रकाशक होगा।'

'एक आतोचक सारी गोष्ठी गन्दी कर देता है।'

'कविता हमारे व्यक्तित्व की मधुर कमजोरी है जिसे हम शक्ति के रूप में प्रस्तुत करते हैं।'

'जो लिखेगा सो दिखेगा, जो दिखेगा सो बिकेगा—यही जीवन का मूल मंत्र है।'

'वह लेखक सौभाग्यशाली है जो किसी साहित्य के उदय काल में लिखने लगा। दुर्भाग्य है उनका जो बाद में आये।'

'प्रति वर्ष कितनी पुस्तकें प्रकाशित होती हैं। खेद है माँ हिन्दी की गोद अभी भी नहीं भरी।'

ऐसे कितने ही अनमोल रतन-से वाक्य मेरी डायरी में पड़े हैं जिनसे साहित्य सम्बन्धी मेरे विचारों का पता लगता है। हर बात एक विशेष मनःस्थिति में लिखी गयी है। जैसे कहीं गोष्ठी में रचना पढ़ने पर मेरी जब कटु आलोचना की गयी तो घर आकर सोने के पहले मैंने लिखा—'एक आलोचक सारी गोष्ठी गन्दी कर देता है।' युगों-युगों का संचित सत्य आवेश के अन्यतम क्षणों में अभिव्यक्त हो गया। (क्या सुन्दर वाक्य है!)

इसके अतिरिक्त काफी ऐसे पत्र हैं जिनसे मेरे जीवन और व्यक्तित्व पर प्रकाश पड़ सकता है। सोचता हूँ उदाहरण के तौर पर कुछ दे दूँ। क्या खयाल है? जरूर जरूर!

प्रिय भाई,

सुना है दिसम्बर में कवि सम्मेलन आयोजित करवा रहे हो अपने नगर में। तब तो मिलना हो सकेगा। बुलवाओगे ना? यों तुम से क्या छुपा है? मार्ग-व्यय और कुछ ऊपर से मिल जाए काफी है। आज्ञा सिर आँखों पर रख दौड़ा आऊँगा। हालाँकि अभी तुम्हारा पत्र इस सम्बन्ध में आया नहीं है, पर मैं व्यर्थ की औपचारिकताओं पर विश्वास नहीं करता। मेरी स्वीकृति समझो। पत्र डालना। भाभी को प्रणाम—बेबी को प्यार। विवाह तो हो ही गया होगा ना!

तुम्हारा अपना

कमलमुख

प्रिय भाई,

इस अभिनव पत्रिका के प्रकाशन के लिए मेरी लाख-लाख बधाइयाँ लो। सच कहूँ—कैसी लगी? हिन्दी में पत्रिका का जो आदर्श रूप मेरी आँखों में है, वह पूरा हो गया। कितनी सुन्दर सज्जा, कैसा वस्तु चयन, क्या ही अच्छे विचार। भई वाह!

तुम्हारा ही सदा

कमलमुख

पुनश्चः रचना भेज रहा हूँ। जरा ध्यान रखना।

प्रिय भाई,

'धर्मशाला' में तुम्हारी कहानी पढ़ी। क्या कहने हैं। बरसों बाद अच्छी कहानी पढ़ पाया। हिन्दी में जिसे नयी कहानी कहते हैं, उसका सर्वश्रेष्ठ रूप तुम्हारी रचना में है। 'साहित्य-धर्म' के अगले अंक में मेरा गीत आ रहा है। कैसा लगा बताना। बाकी सब कुशल! आशा है स्वस्थ होगे।

तुम्हारा सदैव,

कमु

प्रिय महोदय,

जब से आप आकाशवाणी के प्रोड्यूसर बनकर आये हैं, देख रहा कार्यक्रम का स्तर निरन्तर उठ रहा है—बधाई लीजिए। बड़ा श्रम करते हैं। स्वास्थ्य का ध्यान रखिए। एक शिकायत भी है—रेडियो मुझे भूल-सा गया है। दो माह से कोई कान्ट्रैक्ट नहीं आया। उधर आना चाहता हूँ। मित्रों से मिलने की बड़ी इच्छा है। जल्दी जवाब दो। देखता हूँ डाकिया कब कान्ट्रैक्ट लाता है। और सब ठीक। पुस्तक कब आ रही है छपकर—पहली प्रति मैं पढ़ूँगा। बढ़िया-सी आलोचना भी लिखने को बेताब हूँ। भाभी के प्रणाम, बेबी को प्यार!

आपका

कमलमुख

जनाब,

आपके प्रकाशन को पांडुलिपि भेजे दस माह हो गये। अभी तक स्वीकृति नहीं मिली। खेद है। कब प्रकाशित कर रहे हैं, शीघ्र लिखिए। इस सम्बन्ध में मेरा यह पाँचवाँ पत्र है।

भवदीय,

कमलमुख

मोटा नियम है किसी साहित्यकार को समझना हो तो उसकी डायरी पढ़िए, पत्र पढ़िए, साहित्य पढ़िए। मैंने यह सब सहेजकर रखा है। सौ वर्ष बाद भी खोज से तुरन्त मिल जाएगा। भावी पीढ़ी की सुविधा के लिए क्या नहीं कर रहा हूँ मैं।

कौन होगा अनजान जो मेरी ओर आएगा। स्वागत प्रथम पुरुषार्थी ओ तेरा।

कमलमुख : एक नजर में

सच यही शीर्षक होता यदि वह इंटरव्यू कभी प्रकाशित हो जाता। दो वर्ष पूर्व एक महाशय ने मुझसे साक्षात्कार करने तथा उसे प्रकाशित करने की आज्ञा चाही। मैंने सहर्ष चार अमूल्य घंटे उन्हें देना स्वीकार कर लिया। निश्चित हुआ कि वे शुक्रवार को आएँगे। मुझसे वार्तालाप कर प्रश्नों का उत्तर ले लेंगे। चाय वहीं पीएँगे। भोजन भी वहीं करेंगे।

उस दिन पत्नी ने मेरे आग्रह से घर की साफ-सफाई कर देना स्वीकार किया। बच्चों को धुले कपड़े पहनाए। श्वेत चादरें बिछाई गयीं। नाश्ते के लिए फल और बिस्कुट खरीदे। उसने रेशम की साड़ी पहनी और मैंने स्पेशल धुला कुर्ता-पाजामा। मैं बाहर टेबल पर साहित्य जमाकर बैठ गया और वे अन्दर पूरियाँ तलने लगीं।

बहुत समय बीत गया, वे आते नहीं दिखे तो मुझे घबराहट और निराशा-सी होने लगी। दरवाजे पर खड़ा उनकी बाट देखने लगा। फिर छत पर चढ़कर दूर-दूर तक देखा। थोड़ी देर बाद उनकी सूरत नजर आयी। सहज भाव से नीचे आकर बैठ गया।

वे आये मधुर मुस्कराहट से मैंने उनका स्वागत किया। चमचमाता सफेद कुर्ता और पाजामा मेरे सरल व्यक्तित्व की छाप उन पर छोड़ गया होगा। सबेरे का समय, बादल ढंके, दिन का

आरम्भ, वह मनभावन दिन जब कोई मेरा इंटरव्यू लेने आया।

"कमलमुख जी, मैं आपका कुछ समय लूँगा।"

"लीजिए, लीजिए। मुझे आपसे मिलकर बड़ी प्रसन्नता हुई। आज मुझे विशेष कार्य भी नहीं है और मैं निश्चित ही आपको आठ-दस घंटे दे सकता हूँ।" अभिनेत्रियों के इंटरव्यू पढ़कर मुझे यह विदित था कि शिष्टाचार की कुछ बातें इंटरव्यू के प्रारम्भ में की जानी चाहिए। मैंने भी वही तरीके अपनाये।

"आठ-दस घंटे तो नहीं, परन्तु दो-एक घंटे मुझे अवश्य चाहिए।"

"अवश्य अवश्य!" मैंने झुककर कहा।

"जैसे सबसे पहले कमलमुख जी मैं यह जानना चाहूँगा कि आपने लिखना कब से आरम्भ किया?"

"पाँच वर्ष की उम्र से।"

"ऐं!" वे चौंकें। "पाँच वर्ष की उम्र से?"

"जी हाँ, मेरे पिता जी की हार्दिक इच्छा थी कि मैं पढ़ूँ और आला अफसर बनूँ। वे पाँच वर्ष की आयु में मुझे पाठशाला में भरती करा आये।"

"नहीं-नहीं, मेरा तात्पर्य साहित्यिक लेखन से था।"

"यों तो जी मैं बचपन से ही छन्द रचना करने लग गया था। कहते हैं ना, पूत के लक्षण पालने में दिखाई देते हैं; पर सिलसिलेवार ढंग से मैंने 1938 से लिखना आरम्भ किया।"

वे मेरे कहे वाक्य लिखे जा रहे थे और मेरे चेहरे पर मुस्कराहट फूट रही थी।

"सन् 1938 से।"

"जी, मैंने लिख लिया।"

"क्या लिखा?"

"यही कि सन् 1938 से लिखना शुरू किया।"

"ठीक है। और पूछिए।"

"उस समय हिन्दी साहित्य की क्या स्थिति थी?"

"बड़ी दुर्दशा थी।"

"आपका तात्पर्य?"

"छायावाद अपने यौवन पर था। प्रगतिवाद के कल्ले फूटने लगे थे। तनाव की स्थिति थी। निराला जी के कविता संग्रह का बड़ा हल्ला था। पन्त जी छायावाद से गद्दारी कर प्रगतिवादी बनने के मूड में थे। कहानी लेखकों में ले-देकर नजर प्रेमचंद जी पर जाती थी। थोड़ी-सी पत्रिकाएँ निकलती थीं जिनमें नये लेखकों को स्थान नहीं मिल पाता था। मैं तब नया लेखक था। बड़ी सम्भावनाओं वाला।"

"आपकी प्रारम्भिक रचनाएँ कहाँ प्रकाशित हुईं?"

"कहाँ प्रकाशित हुईं?"

"नहीं हुईं क्या?"

"कुछ हस्तलिखित अंकों में और स्थानीय दैनिक के साप्ताहिक संस्करण में। उनके सम्पादक मुझसे बड़ा प्रेम रखते थे। बड़ा उत्साहित करते, मिठाइयाँ खिलाते। साहित्य में उदीयमान किशोरों को बड़ी प्रेरणा देते थे। सदैव कोई किशोर कवि या कलाकार उनके निकट बैठा रहता।"

"कौन हैं वे?" उन्होंने मुझे कड़ी नजर से देखते हुए पूछा।

"नाम नहीं बताऊँगा। बाद में उन्हें जेल हो गयी।"

"चलिए छोड़िए। मुझे किसी के प्राइवेट मामले में क्या करना।" कुछ देर चुप्पी रही। वे पैर हिलाते हुए तस्वीरें देखने लगे।

"और पूछिए ना प्रश्न?" मैंने कहा।

"क्या पूछें?"

"कुछ भी पूछिए। मेरा मतलब आप इंटरव्यू लेने आये हैं तो प्रश्न पूछने ही पड़ेंगे।"

"हूँ..." उन्होंने सिगरेट सुलगाई और कश लेने लगे।

"आप पर किन प्रसिद्ध लेखकों का प्रभाव पड़ा?" उन्होंने

मुझसे प्रश्न किया, पर इतने में चाय आ गयी। फल और नाश्ता आ गया तो कुछ उनका ध्यान बंट गया।

वे बिस्कुट चबाने लगे और मैं नाम गिनाने लगा, "शेक्सपीयर, रवीन्द्र, टॉलस्टॉय, तुलसी, शशी, उडगन, केशवदास, चेखव, हेवलाक, एलिस, प्रेमचन्द वगैरह। आप ये सब नाम नोट कर लीजिए।"

"आप क्या चाहते हैं, मैं चाय नहीं पीऊँ।"

"पीजिए, पीजिए।"

वे चाय बनाकर पीने लगे। "और नये यूरोपियन लेखकों में किसका प्रभाव आप पर है?" उन्होंने प्रश्न किया।

"मार्लिन मनरो!"

उन्होंने कप नीचे रख दिया और मेरी ओर गौर से देखने लगे। शायद वे मर्लिन मनरो की कला से अपरिचित थे। कुछ देर मेरी ओर घूरते रहे मानो सारी प्रश्नावली भूल गये हों।'

"पूछिए और पूछिए," मैंने आग्रह किया।

वे धीरे-धीरे चाय पीते रहे। काफी देर कुछ नहीं बोले। फिर एकाएक उन्होंने प्रश्न किया, "अज्ञेय जी के विषय में आपके क्या विचार हैं?"

"निहायत शरीफ आदमी हैं।"

"मेरा तात्पर्य उनके साहित्य से है।"

"खूब बिकता है।"

"आप समझे नहीं, यानी वे लिखते कैसा हैं?"

"क्या बात है!"

"मतलब?"

"गजब करते हैं।"

"वो तो सबको पता है कि गजब करते हैं। मेरा तात्पर्य है उनकी रचना पढ़ने पर आपके मन में क्या विचार आते हैं?"

"कलम चूम लेने को जी चाहता है।"

"उनकी कला पर, शिल्प पर आपका क्या मत है?"

"बहुत बढ़िया।"

"क्या बढ़िया? उनका शिल्प?"

"नहीं हमारा मत।"

"आप जानते हैं कमलमुख जी, अज्ञेय के विषय में बड़ा मतभेद है।"

"अच्छा, क्या बात है भाई, जरा हमें भी तो बताओ।" मैं उनके पास खिसक आया।

"नहीं ऐसा कुछ नहीं, मतभेद सैद्धान्तिक हैं।"

"अरे सैद्धान्तिक मतभेद तो चलते ही रहते हैं। मैं समझा कुछ और घपला है।"

वे हँसने लगे। मैं भी हँसने लगा।

"खैर कमलमुख जी, हम लोग इंटरव्यू से बहकें नहीं। प्रश्न उत्तर चलने दें।"

"बहक तो आप रहे हैं, मैं नहीं बहक रहा।"

"मैं बहक रहा हूँ?"

"जी हाँ। आपने अज्ञेय की चर्चा क्यों छेड़ी। इंटरव्यू आप मेरा ले रहे हैं और सवाल अज्ञेय पर कर रहे हैं। आप मेरे विषय में पूछिए।" मैंने उन्हें डांटा।

कुछ देर वे केला खाते रहे और बाद में सोच-समझकर बोले, "प्रयोगवाद के विषय में आपके विचार?"

"वाह-वाह! मेरे मन का प्रश्न पूछा है। प्रयोगवाद सौ वादों का एक वाद है। बड़ी गुंजाइशें हैं। वस्तु और काव्य का इतना विस्तार है—आप कुछ भी लिखें। शिल्प और शैली में इतनी विविधता है कि कैसे भी लिखिए। अन्य वादों में कलाकार सीढ़ी चढ़कर उन्नति करता है और प्रयोगवाद में तीर की तरह जाता है।"

"नयी कविता क्या है?"

"नयी कविता भी नहीं समझते यार! जो अभी-अभी फिलहाल में लिखी गयी, सो नयी कविता।"

"और नयी कहानी?"

"जो इसी माह की पत्रिका में छपी हो।"

"हिन्दी में इधर कौन-कौन अच्छी कविताएँ लिख रहे हैं?"

"आपका तात्पर्य है मेरे अलावा कौन लिख रहे हैं?"

"जी हाँ।"

"कोई नहीं।"

"फिर भी कुछ नाम तो बताइए जिनसे आपको आशाएँ हैं।"

"लिखिए। राजेन्द्र श्याम, कुमारी अर्पिता, सुलोचना, नीलम, दत्तू पटेल, कर्मवीर जी, विजय राही आदि।"

"ये कौन लोग हैं?"

"कवि हैं।"

"मैंने इनका नाम नहीं सुना।"

"आश्चर्य है। सब मेरे मोहल्ले में ही तो रहते हैं। मेरी संस्था के सदस्य हैं।"

"अच्छा होता आप कोई प्रसिद्ध नाम भी लिखाते।"

"इंटरव्यू आप दे रहे हैं या मैं दे रहा हूँ। मैं अपने लोगों के नाम लिखाऊँगा।" मैंने दृढ़ता से कहा।

"ठीक है। जैसी आपकी इच्छा।" कहकर उन्होंने सारे नाम नोट कर लिये।

"कहानीकारों में आपका क्या विचार है? कौन अच्छी रचनाएँ दे रहे हैं?"

"लिखिए नाम। राजेन्द्र श्याम, कुमारी अर्पिता, नीलम, दत्तू पटेल, कर्मवीर जी, विजय राही।"

"ये तो वही नाम हैं।" उन्होंने आश्चर्य से पूछा।

"हूँ, इनसे कहानी के क्षेत्र में भी बड़ी आशाएँ हैं। और कुमारी सुलोचना का नाम भी लिख लीजिए। यद्यपि अभी तक कहानी लिखी नहीं है, पर उनसे मुझे बड़ी आशाएँ हैं। वे सम्भावनाओं वाली कलाकार हैं। मुझे बहुत सुन्दर लगती हैं। उनका नाम अवश्य

लिखिए। अजी एक मासिक पत्र निकालने भर की देर है, हमारे गुट के सारे लेखक और लेखिकाएँ प्रकाश में आ जाएँगी। आप समझते क्या हैं।"

"मासिक पत्र निकालने की सोच रहे हैं आप?"

"बिलकुल। यह इंटरव्यू और कहीं न छप सके तो मेरी मासिक पत्रिका में अवश्य छपेगा। आप हताश न होइए और प्रश्न पूछते चले जाइए। खाना बन रहा है।"

"कमलमुख जी, फिल्मों के लिए लिखने पर आपका क्या विचार है?"

"यदि रेडियो वालों ने प्रोड्यूसर नहीं बनाया तो फिल्म में चला जाऊँगा।"

"बहुत सुन्दर। आंचलिक उपन्यासों पर आप क्या सोचते हैं?"

"मेरे विचार में हर लेखक को अपने जीवन में एक आंचलिक उपन्यास अवश्य लिखना चाहिए। ग्रामीण जीवन का अनुभव अनावश्यक है। ग्राम के सीनेरियो में चार शहरी फिट कर दीजिए, बस। यों हिन्दी का हर लेखक गाँवों की आत्मा से परिचित होता ही है।"

"आप कोई आंचलिक उपन्यास लिखने की सोचते हैं?"

"प्रकाशक मिल जावे तो प्रति माह एक आंचलिक उपन्यास लिखकर दे सकता हूँ। मांझी नामक उपन्यास समुद्र के आंचलिक जीवन पर लिख रहा हूँ।"

"तीसरे सप्तक के विषय में आपके क्या विचार हैं?"

"उसमें कुछ गलत व्यक्ति घुस गये हैं। यही बात दूसरे और पहले सप्तक में भी थी। मैं चाहता था कि मुझे ले लिया जाए और अपने मुँह प्रशंसा करना न मानो तो यह एक ठोस सच्चाई के रूप में स्वीकार कर लिया गया है कि मैंने हिन्दी कविता को अभिव्यक्ति में नयी दिशा और नया संकेत दिया है। जैसे गिरिजाकुमार माथुर नामक एक कवि ने, शायद आपने उनका नाम सुना हो, तैंतीसवीं

वर्षगाँठ पर लिखा है—'उम्र की इस सोखनी मीनार पर, मंजिलें हमने तिहाई पार कीं।' पर मेरी अभिव्यक्ति तैंतीसवी वर्षगाँठ पर इससे बढ़ कर रही है। मैंने लिखा है—

'मैं माथे पर झेल चुका हूँ/एक तिहाई घड़े/जितने सौ वर्षी जीवन में/पड़ने वाले हैं जल भरे/यह मेरा तैंतीसवाँ वर्ष/सभी को हर्ष/समय सुहागिन के माथे पर/तैंतीसवाँ कुम्कुम बिन्दी/लाजमयी सकुचाए/गोदभरी हिन्दी।''

''अज्ञेय ने लिखा है—मैं नदी का द्वीप हूँ, पर उससे सशक्त रचना मेरी रही है—मैं नदी का किनारा हूँ। साँप और मणिधर पर मैंने लिखा है। महाभारत के पात्र अर्जुन और कर्ण को नये रूप में प्रस्तुत मैंने किया है। नये-नये फूल-पत्तों के नाम मैं हिन्दी में लाया हूँ। अजीब से खोजे हुए शब्द कविता में मेरे द्वारा आ रहे हैं। मेरी कविता ने परिस्थिति से रागात्मक सम्बन्ध स्थापित करने के लिए नवोन्मेष से उत्सेकित कल्पना वाली कविता हिन्दी में लिखी है। अभी मेरी रचना 'जीऊँगा-जीऊँगा' ने हल्ला मचा दिया था :

'यौवन सरिता का उमड़ा/अछूता/बहती अन्तर की नाव/जूता/मैं लेस सरीखा भीगा भीगा/गीला गीला/मैं साँप सरीखा नीला नीला/मैं बाँह सरीखा मचल मचल/ मैं पकड़े फूल किनारा/जीऊँगा जीऊँगा।''

''इसमें विकसित यथार्थ की ओर अपनी दृष्टि देखिए और मेरी संस्कारगत मर्यादा देखिए तो समझने के लिए आपको नयी कविता को समझना होगा आज—''

उन्होंने मुझे रोक दिया, ''कमलमुख, नयी कविता को आपने जो दिया है वह तो जगजाना है, पर उसमें जो दोष है, उससे आप परिचित नहीं हैं क्या?''

''दोष! दोष तो सदैव रहते आये हैं। निर्मल जल के साथ कूड़ा-करकट चलता ही है। समय जो भी मूल्यांकन करेगा, आप काहे को चिन्ता में पड़े हैं।''

मुझे अनुभव हुआ, मैं कुछ ज्यादा भावुकता में बह गया हूँ।

नयी कविता की जब चर्चा चलती है और लोग उस पर हँसते हैं तो मैं बाँहें चढ़ा लेता हूँ। भाषण देना पड़ता है। आखिर मेरी रचनाएँ होती भी तो विशेष पाठक के लिए ही हैं ना। देश में पढ़े-लिखे ही कितने हैं। उनमें साहित्य-प्रेमी, उनमें नयी कविता प्रेमी और उनमें मुझे चाहने वाले—आखिर हो कितने सकते हैं? पर कोई बात नहीं—इसी के बल पर हिन्दी साहित्य के सरल इतिहास में अपना नाम लिखा जाऊँगा।

चाय, फल वगैरह समाप्त को चुके थे और अन्दर नीलम पूरियाँ बना चुकी थी। भजिये तलने की छुन-छुन की मधुर ध्वनियाँ आ रही थीं जिसे वे भी सुन रहे थे और मैं भी सुन रहा था।

"कमलमुख जी," उन्होंने अत्यन्त मीठे स्वर में कहा, "मेरा खयाल है गद्य के क्षेत्र में भी आपने बड़े मजबूत मील के पत्थर गाड़े हैं। आपकी सर्वश्रेष्ठ गद्य रचना कौन-सी है?"

"वह शायद अभी लिखी जाने को है," मैंने ठाट से कहा।

"नयी कहानियाँ क्या सम्भावनाएँ व्यक्त करती हैं?"

"कहानी में इधर क्रान्तिकारी फेरबदल हुए हैं जिसे करने में मेरा भी हाथ रहा है। कहानी में प्लॉट गौण होकर एकदम गायब हो गया है। लिखने के पूर्व जो दिमाग को कष्ट देना होता था, वह अब जरूरी नहीं है। आप सड़क के एक कोने से कहानी शुरू कीजिए और दूसरे छोर पर समाप्त कर दीजिए। कॉफी हाउस में बैठी कुँवारी लड़की, नदी किनारे खेलते बच्चे, सिटी बस में कंडक्टर, सेकेंड क्लास में यात्रा करती युवती, अमेरिकन टूरिस्ट का ग्राम-सेविका के प्रति आकर्षण, बिछुड़ी प्रेमिका का आखिरी पत्र, नये शहर में आने पर किसी बंगालन से पहचान, पोस्टमैन के लिए ग्राम-बाला की प्रतीक्षा, व्हेटनरी डॉक्टर और बीमार गाय की मालकिन के बीच कर्तव्य और प्रेम का संघर्ष आदि अनेक ऐसे विषय हैं, जिन पर

आप रोज कहानी बना सकते हैं और उन्हें तीन जगह छपवा सकते हैं। ये विषय भी यदि समाप्त हो जाएँ तो शकुंतला का दुष्यंत से विवाह कर पछताना, पद्मिनी के प्रेम में लिखी अलाउद्दीन की डायरी के तीन पृष्ठ, आगरा की एक सांझ जब जहांगीर को अनारकली और नूरजहाँ को शेर अफगन की याद आ गयी, मालविका से अकबर अग्निमित्र का अपनी पहली पत्नी के पास जाना, सत्तावन के गदर में किसी मेम का हिन्दू सिपाही से प्रेम, यक्ष की प्रेमिका द्वारा लेखक से कालिदास की शिकायत, राजकुमार अशोक के उज्जैन में छुटपुट रोमांस आदि विषयों पर कहानी बनाकर आप छपवा लीजिए, संग्रह निकाल दीजिए। हाथोंहाथ बिकेगा, सिरो-सिर उठेगा, ओठो-ओठ चुमेगा।''

''वाह कमलमुख जी, बड़ी आइडियाएँ भरी हैं आपके दिमाग में।''

''ऐसा ही है अपना तो। बचपन से ही मैं बड़ा उर्वरा रहा हूँ। कहने-लिखने को कुलबुला रहा हूँ। कहीं से रुपया जुड़ जाए तो अपनी किताबें खुद प्रकाशित करवा हिन्दी के माथे की बिन्दी बन जाऊँ। उर्वरता में क्या दम है। हिन्दी में आना हो तो हाथों में रुपयों की थैली लेकर आओ—सब हो जाएगा।

''ठीक कह रहे हैं आप।''

शायद अन्दर भजिये बन चुके थे और चटनी पीसी जा रही थी। ओह नीलम तुम कितनी अच्छी हो।

''आपके साहित्यिक कार्य में भाभी की प्रेरणा आपको सदा प्राप्त होती रहेगी?'' उन्होंने चटनी पीसते समय नीलम की चूड़ियों की मनोरम खनक सुनकर पूछा।

''हाँ सौभाग्य से वे स्वयं कविमित्र हैं। और हरमूनिया पर बड़ा मधुर गाती हैं। आजकल मैं प्रयोगवादी कविताएँ लिखता हूँ। पर पहले जब गीत लिखता था, तब वे उन्हें ट्यून करती थीं। कई बार वे मुमेल ध्वनि देतीं जिस पर मैं लिखता। संगीत कविता की आत्मा

है। मैं यदि शब्द हूँ तो वे मेरी धुन हैं। रात को कभी हम दोनों गाते हैं तो मोहल्ले भर के बच्चे दरवाजे पर इकट्ठे हो जाते हैं और मोहित होकर सुनते रहते हैं।''

''सुना है आप कवि सम्मेलन में बहुत जमते हैं।''

''बहुत अधिक। पर आजकल संयोजक लोग साहित्य ज्ञान से शून्य होते हैं और प्रायः मुझे निमन्त्रण नहीं मिलता। कवि सम्मेलन में आने के लिए मुझे सच्चे अर्थों में संघर्ष करके स्थान बनाना पड़ा है। कवि सम्मेलनों के लिए मैंने रुबाइयाँ लिख रखी हैं। लोग मुझे बड़े प्रेम से सुनते हैं। विशेषकर माध्यमिक शाला के छात्र और प्रथमा की छात्राएँ।''

''जी हाँ, मैंने कुछ महिलाओं से आपकी प्रशंसा सुनी है।'' उन्होंने स्वीकार किया।

चाहकर र्भ मैंने यह जानने का प्रयत्न नहीं किया कि वे कौन थीं, जो अनुपस्थिति में मेरी बातें कर रही थीं। यद्यपि मेरा विश्वास है कि अभी भी कुछ लड़कियाँ ऐसी हैं जिनके सपनों में मैं चाँद बनकर आता हूँ, खैर।

कुछ देर ब द हमने वह भोजन किया, जिसके पीछे मुझे काफी खर्च करना पड़ा था। वे बड़े प्रेम से खाने लगे और नीलम से बातचीत में उलझ गये—आपको बड़ी तकलीफ हुई। बहुत बढ़िया भोजन बनाती हैं आप। और जाने क्या-क्या। नीलम ने उन सज्जन से मेरी छोटी-मोटी शिकायतें कीं, जैसे मैं लिखने बैठ जाता हूँ तब किसी के बाप की नहीं सुनता, रात को देर से घर लौटता हूँ। घर का सामान और दवाई लाने में टालमटोल करता हूँ, जितना कमा सकता हूँ उतना नहीं कमाता और वह मुझसे शादी करके पछताईं, वगैरह। वे सज्जन हाँ में हाँ मिलाते रहे और खाते रहे।

खाने के बाद वे काफी देर तक डकारते रहे और नीलम की प्रशंसा करते रहे। उसके भोजन बनाने की, उसके स्वभाव की, उसके सौन्दर्य की, उसकी बड़ी-बड़ी आँखों की, उसके मधुर कंठ की, उसके स्वस्थ शरीर की और कहने लगे निश्चित ही वे लिखती भी सुन्दर ही होंगी।

मैंने याद दिलाई, ''बन्धु, तो और प्रश्न पूछो।''

पान चबाते हुए वे बोले, ''और क्या पूछें? काफी पूछ तो लिये।''

''मैंने कहा, अभी तो कई विषय रह गये हैं।''

''नहीं, बहुत हो गया कमलमुख जी। ज्यादा बड़ा इंटरव्यू किस काम का?''

''फिर भी कुछ तो पूछिए, जैसे नाटकों के विषय में कोई चर्चा नहीं हुई। मैं नाटक भी तो लिखता हूँ।''

''आप तो जाने क्या-क्या लिखते हैं,'' वे हँसे।

''नाटक पर तो प्रश्न पूछिए,'' मैंने आग्रह से कहा।

''नाटक में आप अभिनय करते हैं?''

''अभिनय तो मैंने रामलीला में बहुत किया। और सामाजिक नाटकों में भी एक-दो बार किया है। मेरे लिखे नाटक खेले गये हैं।''

''कहाँ?''

''मिडिल स्कूल में।''

''अच्छा।''

''हाँ।''

''वाह कमलमुख जी, नाटकों में भी घुसे हुए हैं।''

''हाँ। मेरे एक नाटक में अड़तालीस पात्र हैं।''

''शाबाश! इतने पात्रों को इकट्ठा कैसे करते होंगे?''

''नहीं हो पाते। इसी कारण तो वह नाटक खेला नहीं जा सकता।''

''अच्छा, चलें कमलमुख जी। काफी वक्त लिया आपका।''

''ठहरिए ना, अभी क्या जल्दी है। और प्रश्न पूछिए।''

"नहीं। इंटरव्यू संक्षिप्त होना चाहिए जिसमें झलक आ जावे और लोग जो पढ़ें, दर्शन को बेचैन हो जाएँ।"

"ठीक कहते हैं। आप बढ़िया-सा इंटरव्यू लिखिए और जल्दी छपवाइए। आपको मेरी कसम। एकाध सप्ताह में पूरा हो जाए यह काम।"

वे उठे और जूते पहन जाने लगे। मुझे खयाल आया कि इंटरव्यू में कुछ ऐसी मनोरंजक बातें भी होनी चाहिए जिससे मेरी परिहासप्रियता का आइडिया हो। मैंने दरवाजे पर खड़े-खड़े उन्हें किस्से सुनाए–

"एक बार पोस्टमैन से मैंने कहा, भाई मेरा कोई पत्र हो तो दो। पूछने लगा, आपका नाम क्या है। मैंने उत्तर दिया, भाई नाम तो पत्र पर ही लिखा है। पोस्टमैन झेंप गया।"

वे सज्जन मेरा यह लतीफा सुन बहुत हँसे। फिर मैंने दूसरा किस्सा सुनाया, "एक साहब ने मुझसे पूछा, कमलमुख जी आपका घर कहाँ है? मैंने कहा, कांजीहोद के सामने। फिर वे पूछने लगे, कांजीहोद कहाँ है? मैंने कहा, मेरे घर के सामने। वे बोले, अरे भाई दोनों कहाँ हैं? मैंने तपाक से कहा, आमने-सामने। वे साहब भी झेंप गये।"

मेरे इन दोनों किस्सों से मैं कितना मस्त और मजाकी स्वभाव का व्यक्ति हूँ इसका खासा आइडिया इंटरव्यू लेने वाले सज्जन को हो गया। वे काफी देर तक हँसते रहे मुझे देखते हुए और बाद में कुछ छेड़छाड़ भी करने लगे। मैं भी हँसा और मोहल्ले के कोने तक उन्हें छोड़ने गया। जाते समय मैंने फिर कसम ली कि इंटरव्यू शीघ्र प्रकाशित होगा।

काफी दिनों से उनके पीछे पड़ा रहा कि वे इंटरव्यू प्रकाशित करवाएँ। तस्वीर खिंचवाकर उन्हें दी और ब्लॉक बनवाने के रुपये भी दिए।

एक बार उन्होंने कहा कि वे इंटरव्यू लिखकर स्थानीय दैनिक पत्र को भिजवा चुके हैं। मैं दैनिक अखबार के दफ्तर में गया तो सम्पादक ने बताया कि उन्हें कोई इंटरव्यू नहीं मिला। कई बार दोनों स्थानों पर चक्कर लगाए, पर समझ नहीं आया क्या घपला है। इस पुस्तक में प्रकाशित करने के लिए इंटरव्यू माँगा तो जनाब बात टाल गये। नीच कहीं के। उन्हें लिखना भी आता है। लकड़ी की टाल पर बैठने वाले लेखक बन जाएँ तो बस हो चुका साहित्य का उद्धार। खैर! मैंने स्वयं ही लिख दिया कि इंटरव्यू में क्या हुआ। उन्होंने तो मूर्ख की तरह प्रश्न ही किए थे, उत्तर तो मैंने दिए थे आखिर।

सृजन-प्रक्रिया :
उर्फ मैं कैसे लिख लेता हूँ!

सृजन की प्रक्रिया की पोलें खोलते समय मेरा ध्यान चला जाता है उस संघर्षशील वृत्ति की ओर, जो मेरे पालनोत्तर जीवन से आरम्भ हुई और चिकित्सालय पूर्व तक विद्यमान रही। मेरा जीवन एक लम्बा संघर्ष प्रधान स्टंट फिल्म है जिसका हीरो मैं कभी नहीं रहा। हीरो सदैव दूसरा था। मैं पिछड़ गया, पिट गया और फलस्वरूप सिर छुपाने के लिए पुस्तकों अथवा समाचार-पत्रों के दुर्ग में छुपता रहा। मेरा बचपन माता-पिता से संघर्ष करते बीता, फिर भाई-बहनों से। फिर मुहल्ले के लड़कों से, शिक्षक-शिक्षिकाओं से और आजकल पड़ोसियों और दफ्तरवालों से। यह संघर्ष, मेरा पूरा विश्वास है, निरन्तर चलता रहेगा। यह मेरी स्वभावजन्य विशेषता है कि हर वातावरण से उकता जाता हूँ और उसे अपने अनुरूप बनाने के लिए महापुरुषों के समान प्रयत्न करता हूँ और जैसा कि उन बेचारे महापुरुषों के साथ होता है—मैं धक्के खाता हूँ और भागकर पुनः अपनी मनोव्यथा पर कविताएँ (नयी कविता) लिखता हूँ। विरोधी के खिलाफ स्केच लिखता हूँ और डूब जाता हूँ ऐसे स्वप्नलोक में जहाँ जो मैं चाहता हूँ होता है, जहाँ मेरे दर्द के साथ सुन्दर लड़कियों की सक्रिय सहानुभूति होती है, वे मुझसे प्यार करती हैं। मेरे विरोधियों से घृणा करती हैं। कॉफी हाउस में घंटों मेरे साथ बैठी रहती हैं और अपने

घर में आठ-आठ दिन मुझे रखती हैं। जब मैं इस सपने को अक्षर में पिरोने लगता हूँ तो बढ़िया उपन्यास तैयार हो जाता है, जिसे प्रकाशित कराने के सिलसिले में मेरा संघर्ष प्रकाशकों से आरम्भ हो जाता है। कहना न होगा कि मेरे सृजन के मूल में सदा कोई संघर्ष रहा है।

पुराने लोग कहा करते थे (खासकर मेरे नाना) कि कवि कर्म बड़ा कठिन है। बेचारे सच कहते थे। कवि कर्म का सबसे कठिन भाग है कवि सम्मेलन में भाग लेना और कविता संग्रह प्रकाशित करवा लेना। काली बेटी ब्याहने से अधिक मुसीबत है कविता संग्रह छपाने में। मेरे कविता संग्रह खैर छप जाया करते हैं क्योंकि पहले तो मेरी कविता स्तर में अन्य कवियों से अच्छी होती है। जनता में उसकी बड़ी माँग है। दूसरी बात कि मैं प्रकाशक से कभी रॉयल्टी नहीं लेता, मुद्रण व्यय का बड़ा अंश दे देता हूँ और अधिकांश प्रतियाँ स्वयं बिकवा देता हूँ। इसी कारण मेरा प्रत्येक कविता संग्रह तैयार होने के पाँच-छह वर्षों के अन्दर ही प्रकाशित हो जाता है। मेरी लिखी काव्य पुस्तकों की बाजार में बड़ी माँग है, खासकर उस वर्ग में जो छोटे आकार की रद्दी के व्यापार में लगे हुए हैं।

मेरे उपन्यास अधूरे रहे क्योंकि उनके सृजन की प्रेरणा अकसर मुझे मकान मालकिन से प्राप्त होती थी और इसके पूर्व कि अपनी कृति पूरी कर पाऊँ मुझे मकान मालकिन के पतिदेव की हठधर्मिता के कारण घर छोड़ देना पड़ता था। अविवाहित जीवन में सदा यही स्थिति रही। नये किरायेदार के साथ मालकिन द्वारा प्रकट हो गयी मधुर शालीनता एक कथा को जन्म देती जिसमें कैसे बी.ए. पास कोई बेकार युवक जाति, समाज और मुहल्ले वालों से संघर्ष करता हुआ किसी आदर्श धनी विधवा के रूप जाल में बंध जाता है और कैसे वे दोनों साथ मरेंगे, साथ जिएँगे की कसम खाकर खाली पड़ी नाव में बैठकर लहरों की ओर निकल जाते हैं। और तब चाँद बादलों के बाहर आ जाता है। यानी मेरे साहित्य का मेरे जीवन से निकट का

सम्बन्ध है। जो कुछ मैं आस-पास देखता हूँ, जैसे मकान मालकिन, बीमा एजेंट, नर्स आदि, उन्हें अपने साहित्य में उतार लेता हूँ। मेरी सृजन की प्रक्रिया समझने के पूर्व मेरी आत्मा का भूगोल तथा आत्मा का इतिहास तो समझना ही होगा, पर इसके साथ आपको आत्मा की ज्योमेट्री और आत्मा का एलजबरा भी समझना होगा।

साहित्य सृजन में प्रेरणा मुझे किन-किन से मिली यह बताना मैं व्यापारिक दृष्टिकोण से हानिकारक समझता हूँ। यों भी सूची लम्बी है और वे लोग अब कहाँ होंगी, पता नहीं। कई बार तो एक ही प्रेरणा केन्द्र से तीन कलाकारों का सृजन क्रम बँधा रहा और ऐसी स्थिति में नगर में सैद्धांतिक विरोध और प्रत्यालोचना का वातावरण बन गया। जैसे हमारे नगर में सुश्री कुमारी हेमकांता मित्र के विवाह के पूर्व जहाँ रहो सुखी रहो। (मुझे भूल न जाना) जितनी साहित्य गोष्ठियो का आयोजन हुआ उतना बाद में नहीं हुआ। तब लिखा भी काफी गया। तात्पर्य यह कि औसत प्रतिभाशाली कलाकार की तरह मैंने सदा बदलती परिस्थितियों को देखा है और भविष्य के प्रति आस्था रखते हुए, प्रेरणा के केन्द्र बदले हैं। यहाँ काल्पनिक नामों के मधुर आधार पर उन्नीस सौ पचासोत्तर अपनी साहित्यिक प्रगति की नम्र तालिका प्रस्तुत कर रहा हूँ :

समय : 1950। **प्रेरणा** : श्रीमती मीना कपाड़िया **सृजन** : रंग में भंग (जासूसी उपन्यास), तुम सदा मेरी रहोगी (अधूरा खंड-काव्य)।

समय : 1951। **प्रेरणा** : सुश्री वनिता बटवाल। **सृजन** : संगमरमर और टूटा लालटेन (रूमानी लघु उपन्यास), सुल्ताना रजिया (नाटक)।

समय : 1952। **प्रेरणा** : सुरेना बानो। **सृजन** : बम्बई, मेरी बम्बई (डायरी); ऐ गमे दिल क्या करूँ (गद्य-काव्य), तुम, मैं और चाँद (कथा-संग्रह)।

समय : 1953। **प्रेरणा** : श्रीमती मीना कपाड़िया। **सृजन** :

तुम सदा मेरी रहोगी (खण्ड काव्य पूर्ण)।

समय : 1953। **प्रेरणा** : सुश्री नीलम कपाड़िया (मीना की छोटी बहिन)। **सृजन** : फूलों के सपने काँटों की राह (गीत-संग्रह); भारतवर्ष का सरल इतिहास।

समय : 1954। **प्रेरणा** : श्रीमती चांदरानी खन्ना। **सृजन** : भारत के प्राचीन तीर्थ (निबन्ध), हिन्दी शब्दकोश (अपूर्ण)।

समय : 1957। **प्रेरणा** : श्रीमती नीलम। **सृजन** : अबला जीवन हाय तुम्हारी यही कहानी (नाटक); बुद्धं शरणम् गच्छामि (कविताएँ); एक बंगला बनाए प्यारा (एकांकी)।

समय : 1957। **प्रेरणा** : श्रीमती नीलम तथा श्रीमती चांदरानी खन्ना। **सृजन** : 1857 का स्वातंत्र्य संघर्ष; हमारा संविधान : महापुरुष कैसे बनें; मैं नहीं बोलूँगी (सामाजिक नाटक); शराब से बचो (एकांकी)।

समय : 1958। **प्रेरणा** : श्रीमती नीलम। **सृजन** : हँसिए हँसाइए (चुटकुले); भारत के लोकगीत (निबन्ध); लोकगीतों का भारत (निबन्ध); पत्थर और छह नम्बर का आदमी (प्रयोगवादी कविताएँ); इतिहास की सरल कुंजी (कक्षा 8, 9, 10)।

समय : 1959। **प्रेरणा** : श्रीमती नीलम। **सृजन** : चांद और स्पुतनिक की आत्मा (निबंध); ओ मेरी मिट्टी वाह मेरे आकाश (नई कविताएँ); भूगोल की सरल कुंजी (कक्षा 8, 9, 10)।

समय : 1960। **प्रेरणा** : श्रीमती नीलम। **सृजन** : मैं, मैं और केवल मैं (शोध-ग्रन्थ)।

यह है मेरी प्रेरणा और सृजन का सालाना क्रम जो मेरे लेखन के इतिहास पर पर्याप्त प्रकाश डालता है। इसका यह अर्थ लेना गलत होगा कि 1950 के पूर्व मैंने कुछ नहीं लिखा। तब भी मैंने लिखा था, पर वह सारा साधना की टोकरी में फाड़कर डाल दिया अथवा डलवा दिया गया।

प्रायः मेरे ससुर, रिश्तेदार तथा जब नौकरी में था तब अधिकारीगण यह प्रश्न पूछ बैठते—मैं लेखक क्यों बना? लिखने में क्या धरा है? तुम लिखना बन्द नहीं करोगे? यह क्या कचरा लिखते हो? आदि। इन सब सहज पूछे गये प्रश्नों का मेरे पास यही उत्तर है कि मैं लिखता हूँ, क्योकि लिखना सरल है। मुझे सिवाय लिखने के कुछ नहीं आता और नहीं लिखूँ तो क्या करूँ।

मेरी रचना के कथ्य और शिल्प पर विवेचन करने से पूर्व आवश्यक है कि सामाजिक यथार्थ के प्रति मेरे यथार्थ पर प्रकाश डालूँ। मैं स्वयं समाज का एक महत्त्वपूर्ण भाग हूँ अतः मेरी अपनी बात, अपने विषय में बात विराट् सामाजिक सत्य का एक खंड है। इस दृष्टि से मैं घोर सामाजिक यथार्थवादी हूँ। यथार्थ वास्तव में एक साधना है, उपासना है, नहीं, वरन एक तपस्या है। यथार्थ को पकड़ना और लिखना साक्षात मुर्गी को पकड़ने के समान कठिन है। यथार्थ चित्रण के नुस्खों से मैं अनुभव द्वारा अवगत हो चुका हूँ और वे ये हैं:

ऐसी ग्रामीण, अंग्रेजी तथा उर्दू मिश्रित मुहावरेदार भाषा में चित्रण कीजिए कि वातावरण कल्पना से गढ़ा नहीं लगे।

उपन्यास के आरम्भ, अन्त व मध्य में यह घोषणा करते रहने से न चूकें कि यह कहानी अमुक जिले की अमुक तहसील के अमुक ग्राम की है, जहाँ लेखक तीन वर्ष कम-से-कम रहा है।

उपन्यास के प्रमुख पात्र से ऐसी मनोवैज्ञानिक हरकतें करवाइऐ जो असाधारण हों, जैसे वह किसी लड़की को काटने के लिए छुरी उठा ले अथवा पागल हो जाए। इधर-उधर सेक्स सम्बन्धी नीमनग्न चित्रण भी कीजिए।

अच्छे यथार्थवादी उपन्यास के लिए थोड़ी राजनीति खींचकर उस पर बहसें करवाइए, हड़तालें होने दीजिए, लाठियाँ चलवाइए, किसी चरित्रहीन सेठ की पोलें खोलिए।

कथानक को रेलयात्रा, डाकबंगला, कॉफीहाउस, शिकार, हिल

स्टेशन, शरणार्थी बस्ती, वेश्याओं के मुहल्ले के सीनेरियो में बाँटकर फिर उपन्यास लिखिए।

उपन्यास के आरम्भ में यह घोषणा करने से न चूकें कि इसके सारे पात्र काल्पनिक हैं, जिससे पाठकों को यह दृढ़ सन्देह हो जाए कि सारे पात्र सचमुच में कहीं विद्यमान हैं।

यथार्थवादी कहलाए जाने का पहला और अन्तिम नुस्खा जो मैंने सीखा है वह यह कि सदा प्रेमचंद के लिए सम्मान व्यक्त करो। उनके मत को मानना कोई आवश्यक नहीं।

उक्त समस्त तथ्यों, नुस्खों, झटकों और शिल्प डिजाइन के चमत्कारों का ज्ञान जब उपन्यासों में उपयोग होता है तब यह प्रश्न मेरे रिश्तेदारों, मुहल्लेवालों, कर्जदारों और प्रेमिकाओं में सदैव रहा है कि हाय-हाय मैं कैसे लिख लेता हूँ।

लिखने की यह महान् प्रवृत्ति मुझमें बचपन से है। जब मुझे अक्षर ज्ञान भी नहीं हुआ था, तब मैं पड़ोस की बेबियों, मुन्नियों के स्नेह की प्रेरणा पाकर उनके बापों से मिले अपमान की पीड़ा में धरती पर आड़ी-टेढ़ी लकीरें खींच अपना सुख-दुःख अभिव्यक्त कर देता था। अम्मा घर से निकाल देती थीं और मैं प्रकृति की गोद में खड़ा पड़ा रहता था। प्रकृति का यह सामीप्य जवानी में बड़ा फायदेमन्द साबित हुआ और मैं इत्मीनान से फूल-पत्तों, पेड़-पौधों, नदी-पहाड़ों, नालों-समुद्रों का वर्णन कर देता हूँ कि आलोचक आश्चर्य में दाँतों तले फाउंटेनपेन दाबकर रह जाता है।

सबसे पहले मैंने ये चार पंक्तियाँ बनाईं जो अभी तक मुझे जबानी याद हैं—'बेबी आ, भाग कर आ/घर में नहीं तेरा पापा/मेरी अम्मा गयी बाजार/खरीदने अपना बुढ़ापा।''

ये पंक्तियाँ जब पहली बार मैंने बेबी के दरवाजे पर गायीं तब दुर्भाग्य से उसके पापा घर में थे और मेरी अम्मा उनसे गधे हंकवा रही थीं। लिहाजा, मेरी पिटाई आदि हुई तब से स्वांतः सुखाय लिखता हूँ और मन-ही-मन में गाता हूँ।

अक्षर ज्ञान हो जाने के बाद मेरी लिखी चार राष्ट्रीय गीत की पंक्तियाँ पढ़कर मेरे मुहल्ले के कांग्रेसी नेता ने मेरे पिता जी को यह बता दिया था कि मैं कभी-न-कभी, जैसे-तैसे, चाहे कुछ भी हो जाए, कोई माने या न माने, जरूर किसी-न-किसी दिन बहुत बड़ा कवि हो जाऊँगा। कहना न होगा कि उनकी भविष्यवाणी सत्य निकली।

मेरी पंक्तियाँ थीं—'भारत माता, भारत माता/सिर पर रखे हिमालय छाता/उंगली पकड़े तेरी गाँधी/चली जोर अंग्रेजी आँधी।'

उन्होंने मुझे पुरस्कारस्वरूप चार पुराने पैसे दिए जिसे मेरी अम्मा ने काफी दिनों तक सम्भालकर रखा और बाद में किसी इकतीस तारीख को भाजी खरीद ली। चार पैसे से जो पुरस्कार मिलना आरम्भ हुआ तो अब चार-चार रुपये तक कभी-कभी पुरस्कार मिल जाता है।

बयालीस के अगस्त आन्दोलन में मेरा गीत 'पढ़ना लिखना बन्द करो, हड़ताल करो, हड़ताल करो' बड़ा प्रसिद्ध हुआ और फलस्वरूप अनेक स्कूल कॉलेजों में और युनिवर्सिटियों में हड़तालें हुईं। मैं अखबारों में पढ़ता और सुनता तो मुझे सन्तोष होता। शायद ही किसी कवि को अपनी रचना का ऐसा व्यापक सामाजिक प्रभाव देखने को मिला होगा। हेडमास्टर ने मुझे बेतें मारीं जिसे मैंने हँसते खिलखिलाते हुए सहन कीं। (सम्बन्धित जन नोट करें कि मैं राजनीतिक पीड़ित हूँ)।

उन दिनों अंग्रेजों का अत्याचार बहुत बढ़ गया था। राष्ट्रीय गीत लिखने वालों को बड़ा कष्ट सहना पड़ता था। मैंने जो गीत लिखे वे अकसर अंडरग्राउंड गीत रहे। प्रकट रूप से मैं छायावादी रहा और एक-दो बार छपा भी। उन दिनों सागरराम द्विवेदी (आजकल जो घी के व्यवसाय में सफल हो रहे हैं) साप्ताहिक 'सीना खोल' के सम्पादक थे। पत्र बड़ा निर्भीक था और अंग्रेजी राज्य के खिलाफ लिखता था। मैं भी गीत लिखता। उन्हें भिजवा दिया करता था जिसे वे लौटा देते थे।

तभी मैंने अपना पहला नौ सौ पेजी लघु उपन्यास 'मतवाला नेता' लिखा। उपन्यास एक सुन्दर युवक-कवि, नेता-चित्रकार के विषय में था, जो नेता होने के साथ-साथ दो लड़कियों का प्रेमी भी था। राष्ट्रीय आन्दोलन में संघर्ष के साथ-ही-साथ उन दोनों से भी उलझा रहता था। उपन्यास में राष्ट्रीय आन्दोलन के साथ रोमांस के तरीकों का विस्तृत वर्णन भी है। आज भी मैं जब उसे पढ़ता हूँ तो मेरी आँखों के सामने राष्ट्रीय जागरण के धुंधले चित्र आ जाया करते हैं और मेरी आँखें छलछला जाती हैं। मैं दहाड़ मारकर रोने लगता हूँ। शायद इसी पीड़ा के कारण कोई मित्र इस लघु उपन्यास को सुनना स्वीकार नहीं करता।

मेरी दैनिक अनुभूतियों का मेरे लिखने से सम्बन्ध है। एक अनुभूति हुई और मैं तड़पने लगता हूँ। अभिव्यक्त करने के लिए उतावला हो जाता हूँ और विभिन्न विधाओं में उसे खोलकर रख देता हूँ। जैसे मैं अस्पताल के जनरल वार्ड में पड़ा हूँ और एक नर्स आती है—रूपसी, सुन्दरी, रतनारे नैन, कस्तूरी केशर की साँसों वाली, नरगिस सोसन की कोमलतावाली—रति देखे तो बेहोश हो जाए। मेनका मैल सी लगे, तिलोत्तमा तिल भर भी न टिके, माला सिन्हा आँख मारे, मीना कपाड़िया रोवे—आती है और मेरा टेम्परेचर लेती है। मैं थर्मामीटर दाबे उसकी रूप राशि ताकता हूँ। वह मुझे दवा देती है, नहीं-नहीं दर्द देती है, अपने कोमल कंचन हाथों से। उसकी उंगलियाँ मुझे छूती हैं और मेरे मन सिन्धु को बाँध लेती हैं। मेरी तन-वीणा के तार झनझना उठते हैं। फिर वह चली जाती है, सुबह के सपनों की तरह, सांझ की किरन की तरह—दूर दूर दूर! फिर दूसरा मरीज, फिर तीसरा मरीज, फिर चौथा मरीज और मैं खोया-खोया उसे देखता हूँ। वह नहीं आती पर सपना आता है, प्रयोगवादी कविता आती है :

'साँझ की इस सुरमई बाँह पर पीला बीमार सूरज टिक गया है/हवा बराबर पड़ोसन सी/दिल छेड़ती है/और मेरी दमित वासनाएँ/स्टोव में प्रेशर से भभक कर आ गये तेल जैसी/फूट आती हैं/किसी नर्स का धवल एप्रन पकड़कर/बेड से बेड/वार्ड से वार्ड/एक कस्तूरी मोह में सब दुर्गंधियों को चीरती/निकल जाती है/आज रात/समाज अपनी रूढ़ियों की खजेली कुतिया के साथ/क्लोरोफार्म सूँघ बेहोश होगा/मफलर लपेटे चाँद/नर्स चाँद/की युवा नर्सरियों में। मैं, मैं और केवल मैं/भूल जाऊँगा!'

यह कविता कहीं छप जावेगी।

पर उफ् नर्स के वे कटोरा नयन, मादक स्पर्श की अनुभूति सिर्फ एक कविता तक ही नहीं, अन्य विधाओं में भी अभिव्यक्त होगी।

कहानी :

झील के सपनीले सुरमई वातावरण के पास एक अस्पताल। अस्पताल में वार्ड। वार्ड में मरीज नम्बर ग्यारह। और घिरती आ रही रात-ऑपरेशन की रात। अभी सब खामोश हैं। नितिन के पास वाले बेड का मरीज तीन बजे दोपहर दम तोड़ चुका है और आज रात उसका ऑपरेशन है। नर्स नीना आती है।

नीना!

क्या! जी!

आज ऑपरेशन होगा।

ऐं। हाँ।

मुझे इस खिड़की के पास बिठा दो।

क्यों?

इस झील को देखना चाहता हूँ। शायद आखिर बार।

हट। नहीं नितिन, तुम कल से स्वस्थ होने लगोगे।

वह नितिन को खिड़की के पास ले जाती है। नीना की गरम साँसें नितिन की गरदन पर स्पर्श करती हैं।

नीना!

जी, क्या?

मुझे एक लाल फूल ला दो।

क्यूँ। अच्छा लाती हूँ।

नितिन नीना के बालों में फूल खोंसता है।

नीना।

नितिन।

नीना।

नितिन।

एक बात कहूँ।

कहो ना। क्या बात है?

मैं जीवनभर अकेला रहा। अकेला। झील के उस पार जैसे दह गुलमोहर है। अपना संचित प्रेम किसी को दे नहीं पाया। अपना प्यार बिना दिए यहाँ से चला जाऊँगा। चला जाऊँ?

हट। नहीं, तुम नहीं जाओगे नितिन।

तो मैं किसके लिए जीऊँ? किसके लिए? मुझे मौत की घाटी के उस पार उतर जाने दो। मुझे कन-कन बिखर जाने दो।

नहीं, तुम मेरे लिए जीओगे नितिन।

नीना।

नितिन।

तुम मुझे प्यार करती हो।

और नहीं तो क्या करती हूँ।

मैं जीऊँगा, अवश्य जीऊँगा।

नितिन के ओंठ नीना के ओंठ से सट जाते हैं। हट आगे

चूमना चाटना आदि कहानी के उपयुक्त अश्लीलता।

नितिन का ऑपरेशन, नीना की ड्यूटी। क्लाइमेक्स पर पहेली। हीरो मरेगा या जीएगा? पाठक बेचैन हो रहा है। हीरो ठहरा आशावादी–जी गया। फिर क्या था।

नीना।

नितिन।

नीना।

नितिन।

और उस झील का सपनीला सुरमई वातावरण।

कहानी का शीर्षक–'ऑपरेशन की रात', या 'झील, फूल और ऑपरेशन', या 'मैं नहीं मरूंगा।'

पर मुझे नर्स की हिरनी आँखों और कमलपात का स्पर्श हुआ, वह क्या एक कहानी और कविता तक ही रहेगा। मैं और भी लिखता हूँ।

द्वितीय योजना में नर्स प्रशिक्षण (लेख)।

कामकाजी महिला-नर्स (स्केच)।

फ्लॉरेंस नाइटिंगल (जीवनी)।

और मैं सोचता हूँ कि एक उपन्यास लिखूँ 'मरीज नम्बर सात' जिसमें मरीज हीरो, नर्स हीरोइन और डॉक्टर विलेन। मैं इसे लिख दूँगा और वह हिन्दी का अपने ढंग का अनूठा, इकलौता उपन्यास होगा।

देखिए, एक अनुभूति को, जीवन के एक सत्य को, मैं कैसे कविता, कहानी, लेख, उपन्यास कर देता हूँ और माँ हिन्दी की गोद भरता हूँ। निश्चित ही किसी दिन मूल्यांकन होगा मेरा। मैंने हिन्दी को क्या दिया यह कभी अवश्य स्वीकारा जाएगा। कभी मैं अपना गुट बनाऊँगा। कभी मेरा मित्र किसी साहित्यिक मासिक के सम्पादक मंडल में आवेगा और तब मेरी प्रतिमाह चर्चा होगी। अवश्य कभी मुझ पर लेख निकलेंगे। मेरी पुस्तकों को लोग खरीदेंगे। मुझे

डॉक्टरेट मिलेगी। किसी रेडियो स्टेशन पर मुझे प्रोड्यूसर बनाया जाएगा। मेरी रचनाएँ कोर्स में ली जाएँगी। मुझे पुरस्कार मिलेगा। मेरा अभिनन्दन होगा। शिष्टमंडल में विदेश जाऊँगा। मेरे अनुवाद छपेंगे। मेरी जीवनी निकलेगी। मेरे ऑटोग्राफ लिये जाएँगे। मुझसे सन्देश मँगाए जाएँगे। मेरे भाषण होंगे। मासिक पत्रिकाओं में मैं सलाहकार बनूँगा। कमेटियों में लिया जाऊँगा। निर्णायक मंडलों में रहूँगा...और तब साले, ससुर, रिश्तेदार और अधिकारी ही नहीं, कॉलेज की छात्राएँ और पत्रों के सम्पादक मुझसे पूछेंगे—मैं कैसे लिखता हूँ और मैं उत्तर दूँगा :

"यह व्यक्त करना कठिन है। लिखते समय मैं अर्ध समाधिस्थ अवस्था में रहता हूँ। लगता है मैं केवल माध्यम मात्र हूँ। सृजन की प्रेरणा से अनेक संवेदन एवं अनुभूतियाँ संघटित एवं प्रक्रियित होती हैं। भोक्ता मन और सृष्टा मन में अन्तर हैं। उन्हें एक रूप में कैसे व्यक्त करूँ। मैं सृजन के सपनों में तटस्थ रहता हूँ। सब कुछ एक विचित्र अप्रत्याशित रूप से हो जाता है, पर हाँ, सृजन की प्रेरणा सदैव विद्यमान रहती है।

यों मोटी जानकारी चाहिए तो कहूँ कि लिखने के पूर्व घूमता-टहलता हूँ। एकान्त में चिकने कागजों पर—कैक्टस की सजावट के बीच अन्धेरी रात में लिखना मुझे पसन्द है। हाँ, लिख लेने के बाद थक जाता हूँ। सपना सम्पूर्ण होने तक शिशु प्रसव की वेदना होती रहती है और बाद की थकान प्रसवोत्तर थकन!

जीवन तथ्य :

कमलमुख पूरा नाम। जन्म : 1918 दादी के अनुसार तथा 1920 मैट्रिक सर्टिफिकेट में घोषित, ग्राम घटियाली (हाय, इलाहाबाद न हुआ) के एक मन्दिर में हुआ। पिता शायद बंगाली थे। भूत मास्टर के स्कूल में प्राथमिक अध्ययन और भंग और अध्यात्म के प्रति इतना मोह जितना सिगरेट के लिए या साधुओं, मास्टरों और साहित्यिकों का प्रभाव। फलस्वरूप मनन। भाषण व लेखन में रुचि। 1940 में मैट्रिक पास हुए जिसे लेखक अपने जीवन की अद्वितीय घटना मानता है। फिर अच्छे प्राध्यापकों तथा उपयुक्त संगिनियों की तलाश और मोह में लगातार महाविद्यालय बदले। मास्टरी, बी.ए. सिनेद्वारूपाती, सहसम्पादकी। राजनीति से निकल अब साहित्य जगत में पुनः तिखी अनेक पुस्तकें परन्तु अधिकांश तो प्रकाशन जाल से मुक्त रहा है। रुचि माँगकर किताबें पढ़ना, दोस्ताने में सिनेमा देखना–पत्नी लेकर घूमना, पड़ोसनों के बच्चे खिलाना, चुटकुले रटना, कागज की नाव तथा हवाई जहाज बनाना, सभी प्रकार के समारोहों-गोष्ठियों में भाग लेना आदि।

वक्तव्य :

तुकबन्दी की राधेश्यामी शक्ति ने मुझे काव्य रचना की ओर प्रेरित किया और मैं ऐसे सहज लिखने लगा जैसे दत्तू पटेल पान बनाता

है। मैं गीत और अगीत दोनों शिल्प एक ही डिब्बे के विभिन्न पहलू मानता हूँ, अतः मैं लता, वीरेन्द्र मिश्र और रफी की संगीतमय विविधता के साथ अनास्थापूर्ण अतुकान्त भी गढ़ने पर विश्वास रखता हूँ। मैं छायावादी रहा। प्रगतिवादी हुआ, प्रयोगवादी कहलाया और अब नयी कविता गढ़ता हूँ अर्थात कवि मन ने अभी चार कुड़ते बदले हैं—एक से एक अलग और अनूठे। नयी परिस्थिति और युगान्तर के साथ मैं काव्य के गिरगिटी शिल्प वैभव का कायल हूँ। मैंने स्वयं को पीटकर कविता की गति दी है और नयी पगडंडी खोजी है। सुरम्य हरे-हरे वातावरण में मेरे मन सावन ने इतनी गहरी चराई की है, इतना रस लूटा है जो उत्तरोत्तर में काव्य के कन्धे पर प्रतिभावान के एहसान की तरह लाद सकता हूँ।

विचारों की दृष्टि से मैं जीवन और समाज के लिए मार्क्स, गाँधी, फ्रायड और चौधरी जी एम.एल.ए. सभी पर विश्वास करता हूँ। साहित्यिक को इन सब पर आस्था रखना चाहिए तभी वह रूस जाने, रेडियो पर बोलने और कलकतिया चिकने कागजों पर छपने के सौभाग्य एक साथ, लगे हाथ उपलब्ध कर सकता है। कवि सम्मेलनों में चीन, एशिया पर गाना, रेडियो पर भ्रमर की तरह मन्द-मन्द गुनगुनाना और पत्रिका में सहज-सहज छप जाना मेरे कवि की निजी विशेषता है।

हिन्दी कविता को नया शब्द देने में वही पुण्य और यश सिद्ध होता है जो किसी भिखारन को सिक्का देने में। मैं बड़ा उदार रहा हूँ। और काव्य की शब्द-शक्ति, रंग-वैभव, ध्वनि-गुण की दृष्टि से मैंने बहुत कार्य किया है। यह सभी प्रेरणा मैंने समाज से ग्रहण की है। मोहल्ले की लड़कियों के केशरी सिन्दूरी रंग कैसी क्षमता बढ़ा देते हैं यह मुझे ज्ञात है। मेरे काव्य की सबसे बड़ी चिन्ता है अपने व्यक्तित्व की रक्षा और मुझे बाँहों में डूब जाने की पुरानी हॉबी है। किसी विवादास्पद विषय से लेकर गर्भस्थ शिशु तक मेरी कविता का रेंज अर्थात् पर्वत श्रेणी रही है।

मैं अन्वेषी हूँ। हर क्षेत्र में मेरी जिज्ञासा के तार फैले हैं। मेरी कल्पना टहलती है अतः विविध शिल्पों में अभिव्यक्ति को कुलांचे देना मेरी आदत है। सत्य की खोज मेरा व्यवसाय है जिसके सिलसिले में मुझे व्यक्तित्व का स्थानान्तर करना पड़ता है और सौन्दर्य की सरायों में मेरी दलित, कुंठित वर्जित वासनाओं के अश्व विश्राम करते हैं। मेरी आँखों के हिरन नयी चरनोइयों की तलाश में भटकते हैं और कविता के भाव लेकर लौट आते हैं। मैं प्रतिभा हूँ। जीनियस—और इसका एहसास मुझे आक्रान्त कर सदा नव एवं अद्‌भुत लेखन की प्रेरणा देता है। (कितना प्यारा वाक्य है ना?)

मैं गाता हूँ। जैसे मैं खाता हूँ। किसी अन्ध प्रकोष्ठ में सज्जित रूपहरी परदे पर उभरता सौन्दर्य वैभव और उसके पृष्ठ से आती कोकिलकंठी तानें मुझे गीतम् अनुभूतियाँ देती हैं और मैं विश्व मानव के सुख-दुःख की गाता हूँ। पंचों के बीच मंचों पर शनैः-शनैः काव्य के अन्तर में समाई मंगेशकरी स्वरलता गौण हो जाती है तथा मेरा काव्यमय, शब्दमय व्यक्तित्व उभरकर आ जाता है। मैं आस्थावादी, संतुलनवादी हूँ और समय के काँटे मुझे नयी-नयी वादी में घुमाएँगे, बहलाएँगे। यदि वर्तमान ही खिंचा तो घर-घर में मेरा रंगारंग कार्यक्रम होगा और यदि साम्यवाद आया तो मेरी चीन एशियाई रचनाओं का सन्दर्भ मुझे यह शक्ति देगा कि मैं अपने आकल्पन पर हिन्दी साहित्य तथा साहित्यिकों का भाग्य-निर्माता बन जाऊँ। मेरी आस्थाएँ अवसर पर अवलम्बित हैं।

समाज मुझे गाने दे, मुझे रेडियो दे, सम्मेलन दे, पत्रिका दे, यात्रा दे, सेमिनार दे, गोष्ठी दे, प्रकाशन दे, पुरस्कार दे, चेले दे, पोस्टकार्डी प्रशंसक दे, और मैं हिन्दी को दूँगा—काव्य, नाटक, कहानी, उपन्यास, गीत-नाट्य, रेडियो-रूपक। सत्य का हरिश्चन्द्र अपनी प्रतिभा की शैव्या और क्षमता के रोहिताश्व के साथ साहित्य वाराणसी के चौराहे पर उपस्थित है—कोई इस हाथ दे उस हाथ ले।

तीसरे सप्तक के पूर्व आशा थी कि इस बार अज्ञेय मुझे जरूर याद करेंगे और मैंने सजीवन, तथ्य सवक्तव्य अपनी सात कविताएँ लिखकर तैयार कर ली थीं, पर अज्ञेय मुझे भूल गये। परिणाम यह हुआ कि 'तीसरा सप्तक' वह आदर नहीं पा सका जो उसके दो बड़े भाइयों ने पाया था। आशा तो है कि मुझे चौथे सप्तक में जरूर लिया जाएगा, परन्तु इस भरोसे अधिक न रुक मैं इस ग्रन्थ में यह खंड संकलित किए ले रहा हूँ।

कविताएँ

झरने, चरने, मरने

झरने दो, झरने दो
मुझको जी भर झरने दो!

चिर अचंचल
चिर चातुरा
सुब्ध उर में
वासना का
उमड़ा घुमड़ता निर्झर भदभदा

रात की गुंजरित स्पन्दनहीनता में
झरने को झरने दो
इस शाश्वत प्रवाह को!

चरने दो, चरने दो
मुझको जी भर चरने दो!

प्यार की सहज हरियल वाटिका में
अपनी चाप से रणरजित करते
आते, मेरे अनुरागी गर्दभ व्यक्तित्व को
वंचना के स्वर्णिम मोह में भटकते
इस संवेदित से हिरण को

हरी घास पर घंटे भर
चरने दो, चरने दो
इंद्रधनु के सुकोमल छोर तक!

मरने दो, मरने दो
मुझको अभिव्यक्ति पर सुप्रसिद्ध मरने दो!

नमित आत्मा
नमित तर शब्द
अहं की अभिव्यंजना
शिखर पर

एकाकी, प्रस्वेद-श्लथ के निःशब्द
मरने दो, मरने दो
[illegible]सनायी, मुक्त अमरीकाश के नीचे!

वेलपेड बेलेरिना सी साँझ

कइसर रंग रंगी
आज की साँझ-रेशमी
उनींदी, थकी वेलपेड बेलेरिना सी

पिरेमिडों

टावरों
स्काइस्क्रेपरों से,
रिक्शों
रेलों
वायुयानों से,
पेटिकोटों
सलवारों
स्कर्टों से,

पार, महानगरियों से
सूनी, छाँहों वाले वातायन पर
ढीली ढीली उतर आती है।
कक्ष की सेमल रुई सी मेज को
सुहागन रात की शेष सलवटों को
भाँप लेती है!
चाँदनी–बाँह की गुजरी याद
लौट आती है
शंटिंग करती कोई रेल इंजन सुनाई देता है,
अचानक
फागुनी, याद भरी साँझ को!

सत्कारो चाहे दुत्कारो, कामप्रिया

"प्रभु, हमीं बल देवो
सत्कारो हमीं जन।"
"की बोले, सत्कारो?
ना ना दुत्कारो।"
"हमीं कवि जन, नव कवि जन

हमीं गान लिखी चाई
यश द्वारे तुष्ट करो
हमीं भिक्षुक"
"डाकहीन, प्रकाशहीन
ना मारो,
सत्कारो, या।"

यौवन भिक्षु द्वारे
चोवर धारें
डाके—"कामप्रिया। गीतप्रिया।"
उत्तर यमि
गोडरी गोडरी
रम्भा चांदनीए समये
आलिंगनबंधी, चश्मा प्रिया की बोलें—
"मधुकरी स्वीकारो
कविजन,
यौवन-मधुकरी, धवल-फिटकरी,
अभिसारो।"

एक दिवस
हमीं होइबे
युग निर्माता
अन्याये बरख में ज्यों छाता
हमीं कमलमुख
मुख कमल कली
एक दिवस
सब शाला हमको गावेगा
हम जन मन भावेगा

दर्द की रात :
इंटरनेशनल अनुभूति

आज की रात शरमीली बहुत है
गरमीली बहुत है
आँख यह गीली बहुत है
सचमुच बहुत है
रात जो थिसियस ने बिताई थी
अरिबिअेन के साथ
एक अंग्रेजी कहानी के हिन्दी अनुवाद में,
रात जो तम्बू में कटी थी
भुवन के
नदी के द्वीप की रानी के साथ,
रात जो घोड़े वाले राजकुमार
सरायों में बिताते हैं अक्सर,
मजे से,
डिकेमेरान के लुटे राही ने
विधवा के साथ बिताई थी,
रात-सितारों वाली
अन्धकारों वाली
रात-जो पोलैंड में
जर्मन सिपाहियों ने बिताई थी
या ज़ो अमेरिकन जिज्ञासु
पेरिस में बिताता है।
जहाँ सेक्स के देवता का मन्दिर है।
ऐसी एक रात
आज की है
और मैं बैठा अकेला हूँ।

इस रात बड़ी पीड़ा है।
उजले धुले से पाँव
या कमल की छाँव
गोद में लेने की तबीयत मचलती है
भागवत के पृष्ठ पर
बाँसुरी रखने की इच्छा है
किसी को पत्र लिखने की इच्छा है
आह यह रात
किसी का खून करने का मूड है
आज की रात
नील नदी पर, पिरामिडों के वहाँ
चाँद निकल आया
काकेशस पहाड़ की सुन्दरियाँ
दिलरुबा बजा गीत गाती हैं
टोकियो में बीणा लड़कियों का
कला प्रदर्शन चल रहा है
सेन फ्रांसिस्को के काउंटरों पर
काकटेल बन रहा है
लास एंजिल्स के रास्तों पर
शराबी लड़की और एक सिपाही
प्यार के गीत बड़बड़ा रहे हैं
और मैं, मैं और केवल मैं
जिसकी सुहाग रात
आठ दिन हुए
एक एम.ए. पास के साथ
शिमला में मनी
कैसी हरामजादी है आज की रात
कैसी बेवफा है आज की रात

मर जाऊँ ऐसी रात में हाय
आँख यह गीली बहुत है
सचमुच बहुत है।

कमरे से मीनार :
काव्य की ज्यामेट्री

मी
ना
र
च र्च
औ र
म स्जि दों
को
देख रहा हूँ
मैं
अपने
कमरे
रे से ओ
कब तक ग्रसित
रहेगा मानव
मन तेरा
तन मेरा
टू...टू...टू...टू
ज...मा...त...आ...ह...ऐ
0000000
!!!!!!!!
||||||

अटकता हूँ
विस्मित हूँ
रुक जाता हूँ
रा
हें
टे
ढ़ी
मे
ढ़ी
जीवन की
फ
न
ता
न
क
र
साँप
स्वार्थ का आता है
(एकाकी मन)
(अपने घेरे में)
गाता है।

शीर्षक : एक भूतहा घर के पास ठंड की एक गहरी रात को ओवरकोट पहन कर बैठ कवि की, जिनके साथ कोई मित्र अथवा लड़की नहीं थी, अनुभूति जो व्यक्त की थी उन्होंने डायरी में अपनी।

भूतहा घर
यह
यहाँ कोई न आए
यहाँ कोई न आए
चीखने दो आत्माएँ
भागो यहाँ से
भूतहा घर
यह!

मैना का उत्तर

अगर कभी मैं मैना होती
मैना होती मै ना होती
मै मै मै मै, ना ना ना ना
मै ना, मै ना
मैं क्या होती, मैं क्या होती
मैना होती
मैना होती

(दुष्ट हैं वे जो मेरी कविताओं पर अज्ञेय, गिरिजाकुमार माथुर, नरेश मेहता, धर्मवीर भारती, कतिपय सायप्रस और पुर्तगाल के एक कवि तथा मैना चौधरी का प्रभाव मानते हैं)। अपने उपन्यासों के विषय में चार ऐसे समझे-सीखे पाठकों का मत व्यक्त करूँ तो यही सिद्ध होगा कि हिन्दी में यों तो बहुतों ने लिखा, पर मेरे उपन्यासों से वास्तव में नये युग का शुभारम्भ हुआ है। और मुझसे बड़ी-बड़ी आशाएँ की गयी हैं। श्री राजेन्द्र श्याम ने लिखा था, "यों तो ढेरों पेज रंगे गये हैं उपन्यास के नाम पर, फिर भी जो सन्तुलन, जो यथार्थवादी पैनापन और प्रयोगवादी बहकाल कमलमुख में है वह शायद कहीं नहीं।" कुमारी अमिता ने लिखा था, "कमलमुख के उपन्यास के दो-चार पृष्ठों को पढ़कर ही भाषा और भावों का ऐसा जादू छा जाता है कि मैं नींद में दब जाती हूँ।" सुलोचना ने सहज ही कहा था, "सर, आपके उपन्यास मुहावरेदार, सरल भाषा और शैली में लिखे होने के साथ प्रसादगुण-सम्पन्न भी हैं।" कर्मवीर जी ने एक भाषण में बोला था, "यदि आप देश और समाज की सच्ची और नयी तस्वीर देखना चाहते हैं तो कमलमुख के उपन्यास पढ़ें। आकार में बड़े और मूल्य में सस्ते, ग्राहकों को कमीशन। कमलमुख के उपन्यास, जिनमें एक्ट्रेसों की रंगीन रातों से लेकर एक प्रेमी हृदय के आँसुओं तक सभी हैं। सिर्फ तीन कापी बची है। बोलिए—कमलमुख के उपन्यास, युग की अनूठी कृति। बच्चो, ताली बचाओ—कमलमुख के उपन्यास।

इस प्रकार सभो ओर मेरे उपन्यास बहुचर्चित रहे हैं। यहाँ अपने आगामी तीन उपन्यासों का खंड दे रहा हूँ, जिन्हें बाद में पुस्तक रूप दूँगा। हिन्दी की सभी शैलियों का प्रतिनिधित्व इनमें होता है।

उरबसिया-पुरबसिया : एक परिवर्तन
(आंचलिक शैली : फणीश्वरनाथ 'रेणु' से आगे)

पुरवइया चैती की। चौधरी सिवेन्दरसिंग की गढ़ी के पास चिन्तामन पिटपिटाय रहा है ढोल।

जब से कपटी नाक चपटी तहसीलदार की लोकरी को किक किया गेंद का माफक, यही धन्धा किए है। साला पुस्तैनी है। चैती में नींद यों ही नहीं आती। फिर ऊपर से–किड़िक् किड़िक् गुड़म्... किड़िक् किड़िक् गुड़म...

भौजी के कुएँ के पास गुलाब का फूल खुसवाया और एक कच्ची चढ़ाकर साढ़े साते रुपये की खरौरी खाट पर बड़े बबुआसिंग ने कान पर हाथ रख गाया–इस चैती ना चेती तो कब चेतेगी जुवानी राम।

केंक-केंक, केंक, केंक...कें एं कें एं.–जामुन के बिरख से बिथा समझ किसी पंछी ने टीप दी। चिन्तामन ने चाल बदली–किड़िक गुड़म, किड़िक गुड़म। और गढ़ी के झरोखा से टकटकायती छोटी चौधरायन पर नजर मारी।

साबितपुर ग्रामखंड एक अनबूझ पहेली है। हनुमनिया की बगीची मिलाकर गिनो तो दो सौ ऊपर पाँच टपरिया जिनके खंड तीन गढ़ी के पास चौधरी टोला, बामन टोला। और इधर चमार टोला। फार्महाउस के बरामदे में लम्प जलाकर बैठा नाथम् नोट्स बना रहा था–'कोक कल्चर इन ईस्टर्न इंडिया' के सारा प्रान्त ऊसर और

जमीन परती सिर्फ नदी के पास का खंड छोड़, जो काली मैया का आसीस पाये है। बकवास। ज्यागरफिक सर्वे करेगा वह। इस बार जिला क्वाटर से कार्ड आया था 'कोआपरेटिव प्रमोट' करो, पर असम्भव जब तक मन में कापरेशन न हो। गन्ही महात्मा के बचन सब जानते हैं, पर पालन कर नेता कौन बने।

नाथम् कहा था, 'भाइयो और...

तड़क् ढम, तड़क ढम, तड़क ढम! चिन्तामन फिर पलटा। इधर फाटक के पास खटखट हुआ तो टाइगर गुर्राया, पर उरबसिया चमार टोले के जंगी छीतर की बिटिया को आते देख हमेस मुजब दुम हिलाने लगा।

"लिख रहे हो का काबू!" उरबसिया ने धीरे से कहा और दाँत बत्तीस बिखर आये। फुलझड़ी फुर फुर फुर फुर!

छीतर पीकर चित होगा कलाली की नलिया में और उरबसिया को किलोलने की रात फुरसत है। उस दिन लाउडस्पीकर से नाथम् बाबू कुपरेटी चताने की बात करते थे, जिसमें महिलाओं का जोग लेना पड़ेगा। सो वह चली आयी। जवान शहरी इंसान कुपरेटी चलाना है तो उरबसिया को छोड़ कौन मिलेगी गाँव में जिसकी कुपरेटी हमेस चलती रही है।

नाथम् ने नोट्स समेटे। "आओ उरबसिया।" लम्प लेकर अन्दर कागज रख लौटने को हुआ तो वह देहरी पर ठिठकी खड़ी थी। रुककर बोला, "आओ अन्दर बैठो।" वह लजाय के बैठी और बोली, "गुडनेट बाबू।" नाथम् हँस दिया। चार आखर अंग्रेजी सीख ली है ना आज कल उसने, तो जहाँ लगता है टिकला-सा जड़ देती है। हुसियार है, चंचल, सरकसो। गाँव में सरकस आया था तब से हर स्वस्थ लड़की को प्रशंसा में सरकसी कह दिया जाता है और लपाड़ी को जोकर।

चिन्तामन ने आखर लगाया—

होय...होय...होय...होय..

(तड़क धुम तड़क धुम तड़क धुम)

छोरी परजात की/लागे जादा गोरी/होय होय, छोरी परजात की।

नाथम् ने सोचा, उरबसिया परजात की छोरी ही तो है, स्यात इसी कारण वह ज्यादा गोरी लग रही है। फ्रेंच क्लास की सहपाठिनी लूसी डे के पत्र माह भर से अनुत्तरित पड़े हैं।

"कैसी आई उरबसिया," नाथम् ने पूछा।

"कुपरेसन की बात करने को," वह खिखियाई।

"तू हाथ बटाएगी कुपरेसन में?"

"जोग लूँगी। पर है का कुपरेसन?"

"कुपरेसन नहीं कारपरेशन...सहकारिता याने हम मिलें, इकट्ठे हो जावें...एक हो जावें और खुशी-खुशी सब काम करें।"

"मैं परजात की हूँ, मुझसे कुपरेसन कीजिएगा?"

"क्यों नहीं। कुपरेसन में जात परजात नहीं होती।"

वह शरमा गयी। नाथम् उसे ताकता रहा...तड़किता तड़क धुम.../तड़किता तड़क धुम.../मैं चमार, बामन तुम/तड़किता तड़क धुम.../—चिन्तामन चुपा नहीं अभी तक...।

"तुम्हार हमार कुपरेशन की बात किसी से कहिएगा नहीं..." उरबसिया ने धीरे से कहा।

फार्महाउस का गूलर टपटपा रहा था और पीले की मौलश्री झर रही थी। मौलश्री का प्रान्त है साबितुपर। कहते हैं सावित्री इसी गाँव की...थी। कथा है सत्यवान की...जगजानी, पर पूनम को जब पंडित कहते हैं तो गाँव घिर आता है। नाथम् ने टेप रिकार्ड किया था तबसे उरबसिया से उसकी भेंट हुई। बड़े दिनों बलभद्दरसिंग सब इंस्पेक्टर गाँव में आते रहे उरबसिया के पीछे और जंगी छीतर को "शान्तिभंग" में पकड़ ले गये। तहसीलदार बीच में पड़े और उरबसिया को समझाया-बुझाया। मान गयी तब पाप छूटा। सच बात पूछो चिन्तामन से। खुलासा देगा—मेरे सामने सिर नहीं उठा सकती चमारन, सब जानता हूँ।

फार्महाउस का लम्प हल्का पड़ गया था। कुपरेसन में जात परजात नहीं होती—कहता था नाथम्। वह आया है तब से गाँव

में बड़ी जागृति आयी है। अम्बर चर्खा, काटेज इंडस्ट्रीज। अब कापरेटिव।

कब बदलेगी सावित्री की धरती यह। कब यहाँ का युगों-युगों से साँप बनकर बैठा आर्थिक अभिशाप समाप्त होगा। कब रमकू बाबा की बात सच निकलेगी। सोचा करता था नाथम्।

उरबसिया जब वापस लौटी तब पुरवइया तेज हो गयी थी। चिन्तामन चुपाय गया था और नील आकाश में हिरनी उभर आयी थी। इस साल आम खूब फलेंगे।

टूटी खिड़की और कटी लड़की
(साहित्यिक शैली : निर्मल वर्मा से आगे)

बीरेन चुप था। बिल्कुल चुप। वह पिछले एक घंटे से चुप था। वह कुछ सोच भी नहीं रहा था। नितान्त भावहीन, विचारहीन। चुप। कितना चुप था न वह। बहुत चुप। शीला भी तो चुप थी--मौन। वह दिनभर से मौन थी। बल्कि पूरे इस सप्ताह वह मौन ही रही। भाव-शून्य आँखों से वह सब देखती। दूधवाला दूध दे जाता। पिता जी दफ्तर जाते आते और बीरेन से मिलने जाती। सब कुछ यन्त्र की तरह हो रहा था चुपचाप। अभी वह कॉफी हाउस में बैठी है। बैठी है उसे पता नहीं कि वह बैठी है। उसे केवल यह पता है कि बीरेन बैठा है और उसके पास है। वह कॉफी हाउस कितना खामोश है। सब तरफ खामोशी। शहर से कोई व्यक्ति कॉफी पीने नहीं आ रहा। सब तरफ खामोशी-सी छायी है। कल भी शीला इसी तरह आयी थी और बीरेन के पास घंटा भर रह कर चली गयी थी। सब कुछ हो रहा था। उसे पता है तब भी बीरेन कुछ नहीं बोला था, वह भी नहीं बोली थी।

बैरा आया। चुपचाप खड़ा हो गया। उसकी चुप्पी में एक प्रश्न था, क्या लाऊँ साहब। बीरेन और शीला एकाएक डिस्टर्ब हो गये।

उन दोनों के मौन को तीसरे मौन ने जाने परास्त कर दिया। बीरेन ने शीला की ओर देखा जैसे पूछ रहा हो, क्या लोगी तुम। क्या उत्तर देती शीला। वह मौन रही। वह बीरेन को समूचा लेना चाहती थी। अपने में आत्मसात करना चाहती थी। उसने बीरेन के मौन प्रश्न का मौन उत्तर भी नहीं दिया। चुप रही—भाव-शून्य। बीरेन ने उंगली उठाई और मेनू पर छपे एक अक्षर पर रख़ दी और कुछ नहीं बोला। अक्षर था कॉफी। बैरा चला गया। सन्तोष की साँस ली बीरेन ने और शीला की ओर देखा।

शीला चुप थी।

कॉफी हाउस में अन्धेरा घिर रहा था। बढ़ते हुए अन्धकार को मरक्यूरी लाइट जीत नहीं पा रही थी। दीवार पर छायाएँ-सी घिर रही थीं। शहर से तीन मील दूर बने इस कॉफी हाउस में वे दोनों अकेले बैठे थे। उनकी छायाएँ दीवार पर गिर रही थीं और दो 'क्यू' का आकार बना रही थीं। दूर, बहुत दूर से पियानो के स्वर आ रहे हैं। अंग्रेज साहब के बंगले से आ रहे हैं ये स्वर। साहब लोग विलायत चले गये, पर पियानो अभी तक बज रहा है। बीथोवन की कोई गत आ रही है धीरे-धीरे। बीरेन सुन रहा है, शीला सुन रही है। दोनों चुप हैं। दोनों खोए हुए हैं। प्यानो के स्वर उनकी आत्मा में गहरे, बहुत गहरे उतर रहे थे और उन्हें स्पंदनहीन, गति-शून्य बना रहे थे। वे मौन हैं।

बैरा आता है। कॉफी के दो प्याले रख जाता है। सब कुछ चुपचाप हो जाता है। पता भी नहीं लगता। यन्त्रवत। दोनों ने कॉफी के प्यालों को देखा। फिर एक-दूसरे को देखने लगे। शीला ने हाथ नहीं बढ़ाया। क्यूँ बढ़ाए वह। उसे कॉफी नहीं पीनी। उसे बीरेन के निकट भर रहना है। वह मुक्त रहेगी। कितने घिरे हुए हैं वे दोनों परम्परा के आग्रह से। यहाँ हैं तो कॉफी पीनी पड़ेगी। न पीएँ तो न बैठें। रेजिमेंटेशन लगा उसे यह। वह अस्वीकार कर देगी कॉफी। अब बैरा आएगा तो कहेगी कि कॉफी ले जाए। वह सारे पैसे चुका देगी। कॉफी माध्यम बन गया है दोनों के मिलने का।

नहीं वह सीधे माध्यमविहीन मिलेगी, बीरने से। वह चुप थी।

"पीयो", सहसा बीरेन ने कहा।

आग्रह टाल न सकी शीला। बीरेन ने जो कहा था। उसने हाथ बढ़ाया और कॉफी का प्याला उठाकर मुँह से लगा लिया। बीरेन ने देखा दो ओंठ, गुलाब की दो चिपकी हुई पंखुरियों से ओंठ। वह निर्निमेष देखता रहा मौन। वह भी कॉफी पीने लगा। उसे पता नहीं वह कब कॉफी पीने लगा। उसने शीला को कॉफी पीते देखा भर था और मानो स्वचलित-सा कॉफी पीने लगा—चुपचाप।

पियानो के स्वर अभी भी आ रहे थे। बीरेन सोचने लगा कब तक पीती रहेगी कॉफी शीला। उसे लगा जैसे एक पूरा युग बीत गया। शीला इसी प्रकार कॉफी पी रही है चुपचाप और वह देख रहा है। क्षण नहीं मानो युग है यह। बीरेन इस क्षण को भोगना चाहता है। उसे भोग रहा है। मानो एक युग से भोग रहा है।

वह चाहता था शीला से कहे कि तुम अब कॉफी न पीयो। वह उसे सूने हाथों देखना चाहता है। वह उसे तटस्थ कार्य विहीन देखना चाहता है। भोगना चाहता था वह ये क्षण। पर वह मौन रहा। उसकी इच्छा हुई वह चला जाए। तेजी से कहीं भाग जाए, पर वह नहीं हिला। चुप बैठा रहा शीला को देखता।

बैरा ने आकर बिल रख दिया। जाने कैसे बीरेन का हाथ जेब में चला गया। कुछ एक–एक के नोट थे। कुछ पाँच के, दस के। शायद एकाध सौ का भी था। बीरेन लाया नहीं था, जेब में पड़े रह गये थे। बीरने ने सब निकाले और तश्तरी में रख दिए। बिल नहीं देखा उसने। वही होगा। बैरा चला गया। शीला देख रही थी। उसकी इच्छा हुई बीरने से कहे—इतने नोट न रखो। बिल छोटा होगा। दो कॉफी ही तो पो थीं दोनों ने मिलकर, पर वह मौन रही। वह बीरेन को डिस्टर्ब नहीं करना चाहती थी। बाकी रुपये बैरा ने लाकर रख दिए। बीरेन ने नहीं देखा। शीला ने रुपये उठाकर पर्स में रख लिये। अपने सदैव भूल जाते हैं। अपनी वस्तुएँ कहाँ-कहाँ ध्यान रखे वह।

बच्चा है ना बीरेन-ए बिग बेगी—और वह उसे देखने लगी मौन।

सहसा शीला खड़ी हो गयी और बीरेन चौंक गया। पहली बार उसने जाना कि वह कॉफी हाउस में है और शीला उसके पास है। शीला खड़ी हो गयी थी, पर वह चलना नहीं चाहती थी। वह सिर्फ खड़ी रहना चाहती थी कि बीरेन बैठा रहे। उसे एक फ्रेंच कलाकार अण्डे मूरिए कादिए का पेंटिंग ध्यान में आ गया जिसमें प्रेमिका खड़ी है और युवक बैठा है। वह उसी चित्र-सा होना चाहती थी। पर नहीं हुई। बीरेन भी खड़ा हो गया था अब। शायद शीला को खड़ी देखकर। शीला ने सोचा वह रुके और अकेले बीरेन को जाने दे। वह खड़ी रही। बीरेन आगे बढ़ गया। दूसरे क्षण चौंककर बीरेन के पीछे ऐसे चली मानो उसे कुछ कहना चाहती हो।

चर्च के पास आकर शीला और बीरेन एक बेंच पर बैठ गये। बीरेन ने सिगरेट सुलगाई और पीने लगा—तटस्थ निर्विकार भाव से।

"बीरेन।" शीला एकाएक बोली।

बीरेन शीला की ओर उन्मुख हुआ।

"मुझे समूचा ले लो बीरेन। मुझे अपने में मिला लो। मैं अपना सर्वस्व तुम्हें देना चाहती हूँ बीरेन।"

बीरेन शीला को देखता रहा—तटस्थ निर्विकार भाव से।

शीला जब सीढ़ी चढ़ रही थी, पापा क्लब से नहीं लौटे थे। घर में बच्चे शोर मचा रहे थे। वह सीधी अपने कमरे में चली गयी। बीरेन का कहा एक वाक्य, एक शब्द ही तो कहा था केवल, उसके मन को रह-रह कर साल रहा था।

"पीया।"

"मैं पीयूँगी बीरेन। अवश्य पीयूँगी। सब कुछ पी जाऊँगी मैं।" और वह तकिये से सिर टिका फफक-फफकर रोने लगी।

युकलिप्टस के पेड़ पर रात उतर रही थी।

चन्द्रगुप्त हेलन

(नीलमणि के प्रकाश में ऐतिहासिक शैली : सबसे आगे)

सेंधव नरेश के कराची स्थित भव्य भयानक कक्ष में द्रविड़ देश की सर्वश्रेष्ठ एवं एकमात्र नर्तकी ने नर्तन करना जैसे-तैसे स्वीकार कर लिया था। सुन्दरी मणिकेलि कोजी कोट्टावाली ने प्रसन्न मुख से उपस्थित जनों की अभ्यर्थना की। सेंधव नृपति ने आँख मिचकाकर देखा—नर्तकी की कन्धे तक लहराती काली केशराशि और लगभग अर्धावृत्त केवल दो उरोज कमल। देसी मदिरा से तरल तथा लालिम चौड़े नयन में वह रूप वैभव देख उनके अन्तर का तारतम्य झनझना उठा और मुख पर एक दरबारी सौम्यता आ गयी। वे आसन पर जमकर हत्था पकड़कर बैठ गये।

पीक थूककर वादकों ने अपने वाद्य को आनन्दविभोर हो छुआ। मृदंगम पर थाप पड़ी, बंशी के लाजवाब स्वर ने डोलते हृदयों को धीरे से मजे-मजे में स्पर्श किया जैसे उषाकाल की शान्तिमय आठ बजे की बेला में अचानक नरगिस अथवा पारिजात फूल की सुगन्धि से परिपूर्ण वायु का एक झोंका किसी सेज पर पड़ी पेशेवर विलासिनी के गुप्त तन को स्पर्श कर उसे झकझोर दे।

ऐसा रूप और वैसा सौन्दर्य सिंधियों ने खप्पे भैणा कभी नहीं देखा था। सर्वजन घूरने को लगे। जब द्रविड़ सुन्दरी कोजी कोट्टावाली ने अंग संचालन की प्राथमिक क्रिया आरम्भ की तो राजमहल की पट्टेदार रंगीन रेशमी पजामे, कुरते और दुपट्टा डाले गोरी गंधाती सिंधी स्थानीय सुन्दरियों ने नाचनेवाली की ओर परम्परागत ईर्ष्याभरी दृष्टि से देख मुँह बिचकाया। परन्तु नर्तकी का उल्लास और कलात्मक एकांगिता के साथ नर्तन धीरे-धीरे सारे सांइयों को टोपी से नंगे पैर तक बाँधने लगा।

दासिनी ने मद्य का एक तामचीनी का चषक सेंधव नृपति

की ओर बढ़ाया, जिसे वे तुरन्त गटगट पी गये और उनकी शिराओं में नव स्पन्दन, नव ऊष्मा एवं नव चेतना का काफी संचार हुआ। कृतज्ञता से उन्होंने दासी की ओर देखा। वह और भरकर देने लगी।

नृपति के कराची स्थित प्रासादों पर रात्रि लगे हाथ घिरने लगी, पर नर्तन अभी पूर्ण नहीं हुआ। इस कक्ष में गान्धारवाली और कैकयवाली नर्तकियों ने भांगड़ा और कत्थक नृत्य किया है, पाटलिपुत्र और कामख्या की सुगम संगीत की व्यापिकाओं ने अपने कंठ के गीतों से इन मस्त सांइयों को मोहित किया है, पर इस द्रविड़ : सुन्दरी, कोजी कोट्टावाली-सी साक्षात रूपपूर्ण, कलात्मक एवं नरम-नरम चुनौती अन्यत्र नहीं थी। वास्तव में यह अनिन्द्य सुन्दरी थी।

अर्धरात्रि को जाकर नर्तन समाप्त हुआ। नृपति को झुक-झुक प्रणाम कर नर्तकी की प्रशंसा करते सीटी बजाते सर्वजन घोड़ा पालकी से विदा हुए। सुन्दरियां गालियाँ बकती उठकर चली गयीं। शेष रह गये सिंधी, नृपति। दखनी नर्तकी तथा चषक भरकर देने वाली काली दासी।

"मुझे आज्ञा दें महाराज।" नर्तकी ने झुककर अदा से कहा।

"आज्ञा नहीं। मैं तो अपने को निवेदित अवस्था में पाता हूँ।" वे स्निग्ध झपकियाँ लेती मदमाती दृष्टि से नर्तकी को टगर-टगर देखने लगे, जैसे वह चित्रलेखा तस्वीर हो। फिर नर्तकी के कोमल कान्त कपोलों को राजा ने उचककर सहला दिया। नृपति के स्पर्श ने मांसल पुष्प के कटोरा नयनों में एक सामाजिक हलचल उत्पन्न कर दी।

दासों ने दीप अनावश्यक समझकर बुझाना आरम्भ किए। कक्ष में केवल असली नीलमणि का प्रकाश शेष रह गया।

नृपति ने रोजमर्रा की लालिमा अतृप्त तृष्णा से अपने बाहुओं को उसकी ओर फैलाया और तत्कालीन मादकता में एड़ी चोटी तक सराबोर, प्रभात की प्रथम किरण नीली के समान लजीली, कुहनी टेककर खिसकती इतराती नर्तकी बिलकुल निकट आ गयी।

पंखुरी खिली, भ्रमर गूँजने लगा।

बह-बहकर इकट्ठी होने लगी ज्योत्सना। शीतल समीर आने

लगा वातायन से। आनन्द के कण एकरसता की ओर लगे बहने।

नृपति ने नर्तकी का हाथ पकड़ ही तो लिया। क्यों न हो, वह एक मायावी स्पर्श के तुल्य। मकराकृति आसन के पोत वस्त्र पर काले केश बिखर ही तो गये। क्यों न बिखरे ऐसे वक्त में। पलकों की सीप में मोती-सी चमकी एक आकांक्षा। स्पन्दन झनझनाकर तयहीन हो गये। पर्वत-सा तन सरिता की लहर समेटने ही तो लगा। अचानक, सहसा। यकायक निकट के प्रकोष्ठ से किसी ने छींका और बेमौका ठहाका मारा, "वाह सिंधु नरेश इन मांसल घाटियों में ऐसे उलझे हो। इतनी उलझन तो भारतवर्ष की ओर बढ़ते हुए यवनवीर सिकन्दर को भी नहीं हो रही होगी।"

द्रविड़ सुन्दरी झट से सिमटकर कपड़ा सम्भाल बैठ गयी। नृपति ने चौंकक[illegible]त्र सर्वत्र देखा। पूछा, "कौन है? किसका स्वर है यह। दास दे[illegible]? किस कमबख्त को इस वक्त देश याद आया?"

फिर [illegible]का सुनाई दिया, "सिन्धु नरेश! मेरी चिन्ता मत कर, अपनी और अपनी भूमि की कर। सिन्धुराज के विशाल स्वर्णागारों की ओर राक्षसी हाथ बढ़ते आ रहे हैं। कहीं ऐसा न हो जनाब कि तुम्हारा यह उष्ण रक्त इसी कक्ष में भल्ल-भल्ल बिखर जावे और तुम्हारी शैयावासिनी सुन्दररियाँ, जो भी हों मैं नाम नहीं लूँगा, विदेश के बाजारों में सस्ती बिक जावें। मैं जाता हूँ। युद्ध के लिए सजग रहिए। भारतीय नरेशों से संयुक्त मोर्चा बनाकर सिकन्दर का सामना कीजिए।"

उस चाँदनी रात में सिन्धु का भीषण प्रवाह जैसे खलबला उठा। लहरें फुंकार उठीं। बालू के बवंडर चले। वे स्वर जैसे दिग-दिगन्त में व्याप्त होकर नृपति के अन्तराल को क्षुब्ध कर उठे।

नर्तकी ने मद्य का चषक नृपति की ओर बढ़ाया। हाथ बढ़ाकर उन्होंने रोक दिया।

नर्तकी लज्जित हो गयी। पनीली, पनीली।

दीवारों के पीछे से आये कड़क स्वर युवक चाणक्य के थे।

"लेखक विद्वान हो न हो, आलोचक सदैव विद्वान होता है। विद्वान प्रायः भोंड़ी बेतुकी बात कह बैठता है। ऐसी बातों से साहित्य में स्थापनाएँ होती हैं। उस स्थापना की सड़ांध से वातावरण बनता है जिसमें कविताएँ पनपती हैं। सो, कुछ भी कहो, आलोचक आदमी काम का है।" आज से आठ वर्ष पूर्व आलोचना पर अपने मित्रों के समूह में बोलते हुए यह विचार मैंने प्रकट किए थे। वे पत्थर की लकीर हैं। लेखक का साहित्य के विकास में महत्त्व है या नहीं है, यह विवादास्पद विषय हो सकता है, पर किसी साहित्यिक के विकास में किसी आलोचक का महत्व सर्वस्वीकृत है। साहित्य की वैतरणी तरना हो तो किसी आलोचक गैया की पूँछ पकड़ो, फिर सींग चलाने का काम उसका और यश बटोरने का काम कमलमुख का।

आलोचना के प्रति अपनी प्राइवेट राय जाहिर करने के पूर्व मैं आपको यह बताऊँ कि आलोचना है क्या? यह प्रश्न मुझसे अकसर पूछा जाता है। साहित्य-रत्न की छात्राएँ चूँकि आलोचना समझने को सबसे ज्यादा उत्सुक दिखाई देती हैं, इसलिए यह मानना गलत न होगा कि आलोचना साहित्य की सबसे टेढ़ी खीर है। टेढ़ी खीर इसलिए कि मैं कभी इसका ठीक उत्तर नहीं दे पाता। मैं मुस्कराकर उन लड़कियों को कनखियों से देखकर कह देता हूँ, "यह किसी आलोचक से पूछिए, मैं तो कलाकार हूँ।"

खैर, विषय पर आ जाऊँ। आलोचना शब्द लुच् धातु से बना है जिसका अर्थ है देखना। लुच् धातु से ही बना है लुच्चा। आलोचक के स्थान पर आलुच्चा या सिर्फ लुच्चा शब्द हिन्दी में खप सकता है। मैंने एक बार खपाने की कोशिश भी की थी, एक सुप्रसिद्ध

आलोचक महोदय को सभा में परिचित कराते समय पिछली जनवरी में बहुत वातावरण बिगड़ा। मुझे इस शब्द के पक्ष में भयंकर संघर्ष करना पड़ा। आलोचक महादेय ने कहा कि आप शब्द वापस लीजिए। जनता ने भी मुझे चारों ओर से घेर लिया। मुझे पहली बार यह अनुभव हुआ कि हिन्दी भाषा में नया शब्द देना कितना खतरा मोल लेना है। मैंने कहा, मैं शब्द वापस लेता हूँ। पर आप यह भूलिए नही कि आलोचना शब्द 'लुच्' धातु से बना है।

अस्तु, बात आयी गयी हो गयी। मैंने इस विषय में सोचना और चर्चा करना बन्द-सा कर दिया। पर यह गुत्थी मन में हमेशा बनी रही कि आलोचक का दायित्व क्या है? वास्तव में साहित्य के विशाल गोदाम में घुसकर बेकार माल की छँटाई करना और अच्छे माल को शो-केस में रखवाना आलोचक का काम माना गया है, जिसे वह करता नहीं। वह इस चक्कर में रहता है कि अपने परिचितों और पंथवालों का माल रहने दे, बाकी सबका फिंकवा दे। यह शुभ प्रवृत्ति है और आज नहीं तो कल इसके लाभ नजर आते हैं। कोशिश करते रहना समीक्षक का धर्म है। जैसे हिन्दी में अभी तक यह तय नहीं हो पाया कि मैथिलीशरण गुप्त, निराला और कविवर कमलमुख में कौन सर्वश्रेष्ठ है। एक राष्ट्रकवि है। एक बहुप्रशंसित है और तीसरे से बड़ी-बड़ी आशाएँ हैं।

समीक्षकों के इस उत्तरदायित्वहीन मूड के बावजूद पिछला दशक हिन्दी आलोचना का स्वर्ण युग था। जितनी पुस्तकें प्रकाशित नहीं हुईं उनसे अधिक आलोचकों को सादर भेंट प्राप्त हुई हैं। कुछ पुस्तकों का सम्पूर्ण संस्करण ही आलोचकों को सादर भेंट करने में समाप्त हो गया। समीक्षा की नयी भाषा, नयी शैली का विकास पिछले दशक में हुआ है (दशक की ही चर्चा कर रहा हूँ क्योंकि मेरे आलोचक व्यक्तित्व का कंटीला विकास भी इसी दशक में हुआ है)। हिन्दी का मैदान उस समय तक सूना था जब तक आलोचना की इस खंजर शब्दावली का जन्म नहीं हुआ था। इस शब्दावली के

विशेषज्ञों का प्रकाशक की दूकान पर बड़ा स्वागत होते देखा है। प्रकाशक आलोचक पालते हैं और यदि इस क्षेत्र में मेरा जरा भी नाम हुआ तो विश्वास रखिए, किसी प्रकाशक से मेरा लाभ का सिलसिला जम जाएगा।

मैंने अपने आलोचक जीवन के शैशव काल में कतिपय प्रचलित शब्दावली, मुहावरावली और वाक्यावली का अनूठा संकलन किया था जिसे आज भी जब-तब उपयोग करता रहता हूँ। किसी पुस्तक के समर्थन तथा विरोध में किस प्रकार के वाक्य लिखे जाने चाहिए, उसके कतिपय थर्ड क्लास नमूने उदाहरणार्थ यहाँ दे रहा हूँ। अच्छे उदाहरण इस कारण नहीं दे रहा हूँ कि हमारे अनेक समीक्षक उसका उपयोग शुरू कर देंगे।

समर्थन की बातें

इस दृष्टि से रचना बेजोड़ है (दृष्टि कोई भी हो)। रचना में छुपा निष्कलुष वात्सल्य, निश्छल अभिव्यक्ति मन को छूती है।

छपाई, सफाई, विशेष आकर्षक है।

रूप और भावों के साथ जो विचारों के प्रतीक उभरते हैं, उससे कवि की शक्ति व सम्भावनाओं के प्रति आस्था बनती है।

कमलमुख की कलम चूम लेने को जी चाहता है। (दत्तू पानवाला की, यह मेरे विषय में व्यक्त, राय देते हुए संकोच अनुभव हो रहा है, परन्तु उनके विशेष आग्रह को टाल भी तो नहीं सकता)।

मनोगुम्फों की तहों में इतना गहरा घुसने वाला कलाकार हिन्दी उपन्यास ने दूसरा पैदा नहीं किया।

आपने प्रेमचन्द की परम्परा को बढ़ाया। मैं यदि यह कहूँ कि आप दूसरे प्रेमचन्द हैं तो गलती नहीं करता।

कमलमुख ऐसी निचली सतह की रचना लिख जाएँगे यह

आशा नहीं थी। (निम्न वर्ग के जीवन पर लिखी मेरी एक कहानी की प्रशंसा में अभिव्यक्त मत)।

कहानी में संगीतात्मकता के कारण उसी आनन्द की मधुर सृष्टि होती है जो गीतों में पत्रकारिता से हो सकती है।

विरोध की बातें

कविता न कहकर इसे असमर्थ गद्य कहना ठीक होगा। भावांकन में शून्यता है और भाषा बिखर गयी है।

छपाई, सफाई तथा प्रूफ सम्बन्धी इतनी भूलें खटकने वाली हैं।

लेख कोर्स के लिए लिखा लगता है।

रचना इस यशसिद्ध लेखक के प्रति हमें निराश करती है। ऐसी पुस्तक का अभाव जितना खटकता था, प्रकाशन उससे अधिक अखरता है

सन्तुलन और संगठन के अभाव ने अच्छी भाषा के बावजूद रचना को घटिया बना दिया है।

लेखक त्रिशंकु-सा लगता है—आक्रोशजन्य विवेकशून्यता में हाथ-पैर मारता हुआ।

इन निष्प्राण रचनाओं में कवि का निरा फ्रस्ट्रेशन उभरकर आ गया है।

पूर्वग्रह ग्रसित दृष्टिकोण, पस्तहिम्मत, प्रतिक्रियाग्रस्त की तड़पन व घृणा, शब्द चमत्कार से कागज काला करने की छिछली शक्ति का थोथा प्रदर्शन ही होता है इन कविताओं में।

स्वयं लेखक की दमित, कुंठित वासना की भोंड़ी अभिव्यक्ति यत्र-तत्र ही नहीं, सर्वत्र है।

सामाजिकता से यह अनास्था लेखक को कहाँ ले जाएगी। जबकि मूल्य अधिक है पुस्तक का।

कमलमुख ने अपनी कविताएँ इकट्ठी करके छपा ली हैं। कोई हानि नहीं हुई। कोई लाभ भी नहीं हुआ। आये दिन ऐसे संग्रह छप रहे हैं, उससे हिन्दी का क्या हित होता है।

ये वे सरल लटके-खटके हैं जिनसे किसी पुस्तक को उछाला जा सकता है, गिराया जा सकता है।

आलोचना से महत्त्वपूर्ण प्रश्न है आलोचक व्यक्तित्व का। पुस्तक और उसका लेखक तो बहाना या माध्यम मात्र है जिसके सहारे आलोचक यश अर्जित करता है। प्रसिद्ध का पथ साफ खुला है। स्वयं पुस्तक लिखकर नाम कमाइए अथवा दूसरे की पुस्तक पर विचार व्यक्त कर नाम कमाइए। बल्कि कड़ी आलोचना करने से मौलिक लेखक से अधिक यश प्राप्त होता है।

इस सन्दर्भ में मुझे एक वार्तालाप याद आता है जो साहित्यरत्न की छात्रा और मेरे बीच 1954 की दिसम्बर में हुआ था :

रात के दस/गहरी ठंड/पार्क की बेंच/वह और मैं/तारों जड़ा आकाश/घुप एकान्त लुभावना।

वह—"आलोचना मेरी समझ में नहीं आती सर।"

मैं—"हाय सुलोचना, इसका अर्थ है तुझमें असीम प्रतिभा है। सृजन की प्रचुर शक्ति है, महान लेखकों को आलोचना कभी समझ में नहीं आती।"

वह—"आप आलोचना क्यों करते हैं?

मैं—"और नहीं क्या करूँ। दूसरे की आलोचना का पात्र बनने से बेहतर है मैं स्वयं आलोचक बन जाऊँ।"

वह—"किसी की आलोचना करने से आपको क्या मिलता है?"

मैं—"उसकी पुस्तक।"

कुछ देर चुप्पी रही।

वह—"सच कहो कमलमुख, तुम्हें मेरे गले की कसम, झूठ

बोलो तो मुझे मरी देखो। आलोचना का मापदंड क्या है? समीक्षक का उत्तरदायित्व तुम कैसे निभाते हो?''

उस रात सुलोचना के कोमल हाथ अपने हाथों में ले पाये बिना भी मैंने सच-सच कह दिया—''सुलोचना! आलोचना का मापदंड परिस्थितियों के साथ बदलता है। समूचा हिन्दी जगत तीन भागों में बँटा है। मेरे मित्र, मेरे शुत्र और तीसरा वह भाग जो मुझसे अपरिचित है। सबसे बड़ा यही भाग है। यदि मित्र की पुस्तक हो तो उसके गुण गाने होते हैं। सुरक्षा करता हूँ। शुत्र की पुस्तक के लिए छीछालेदर की शब्दावली लेकर गिरा देता हूँ। और तीसरे वर्ग की पुस्तक अकसर बिना पढ़े निबटा देता हूँ, या कभी-कभी कुछ सफे पढ़ लेता हूँ। अपने प्रकाशक ने यदि किसी लेखक की पुस्तक छापी हो तो उसकी प्रशंसा करनी होती है। जिस पत्रिका में आलोचना देनी हो उसके गुट का खयाल करना पड़ता है। रेडियो के प्रोड्यूसर, पत्रों के सम्पादक तथा हिन्दी विभाग के अध्यक्ष आलोचना के पात्र नहीं होते। सुलोचना, सच कहता हूँ, प्रयोगवादी धारा का अदना-सा उम्मीदवार हूँ। अतः हर प्रगतिशील बनने वाले लेखक के खिलाफ लिखना धर्म समझता हूँ। फिर भी मैं कुछ नहीं हूँ। मुश्किल से एक-दो पुस्तक साल में समीक्षार्थ मेरे पास आती हैं बस...बस इतना ही।''

(सुलोचना ने बाद में बताया कि उस रात मेरी आँखों में आँसू छलछला आये थे।)

इतना समझाने के बाद भी जब सुलोचना ने फिर से कहा—''आलोचना मेरी समझ में नहीं आती सर!'' तो मैं नाराज होकर बोला—''आलोचना तेरी क्या समझ में आएगी, सिर?''

आलोचना क्या है, इस सम्बन्ध में अपना मत मैंने अपने 'आलोचना क्या है' नामक अप्रकाशित लेख में स्पष्ट घोषित किया है। आलोचना के क्षेत्र में मैं आचार्य रामचन्द्र शुक्ल के प्रति इतना सम्मान रखता हूँ और यद्यपि समीक्षा के नये क्षितिज मेरी कलम ने स्पर्श किए हैं, फिर भी अपने को उनसे छोटा ही मानता हूँ। हाँ

तो मैंने लिखा है—यदि हम साहित्य को जीवन को व्याख्या मानें तो आलोचना को उस व्याख्या की व्याख्या मानना पड़ेगा, सौभाग्य से मेरा मत श्री श्यामसुन्दर दास से शत-प्रतिशत मिलता है। वाक्य-साम्य आश्चर्य की बात है। मैंने आगे ये भी लिखा है—''कला और समीक्षा का सम्बन्ध फल और छुरी के समान है। छुरी की उपयोगिता यही है कि फल का स्वाद पता लगे। 'क्रिटिक' का अर्थ है 'टु सेपरेट' यानी 'अलग करना।' छुरी क्रिटिक है जो छिलका चीज से अलग कर देती है और फल अर्थात् कला इस स्थिति में आ जाती है कि सहज खाई जा सके।''

'आस्तीन का साँप' उपनाम रखकर एक मासिक-पत्र में मेरे द्वारा की गयी समीक्षाएँ धारावाहिक रूप में प्रकाशित होती रही हैं। कुछ दिन हुए 'हवाई जहाज की आत्मकथा' नामक एक पुस्तक की समीक्षा मैंने की भी तो साहित्य जगत में बड़ी चर्चा रही। समीक्षा छोटी थी। डेमी साइज के तीन पृष्ठों में आ गयी।

यहाँ उसके कुछ अंश उदीयमान आलोचकों के मार्गदर्शन हित दे रहा हूँ :

हवाई जहाज की आत्मकथा

आत्मकथा पढ़ने से यही सिद्ध होता है कि लेखक कभी हवाई जहाज नहीं रहा, केवल कल्पना के आधार पर ही उसने यह पुस्तक लिख डाली है। ऐसी पुस्तक के लिए कतिपय वायु यात्राओं का अनुभव और मशीन का ज्ञान ही पर्याप्त नहीं होता, बल्कि इससे बढ़कर आवश्यकता है उस साहसिक भावना की, जो मानव को आकाश की ओर खींच रही है। स्पुतनिक के इस युग में हिन्दी कितनी पीछे है। आत्म-कथात्मक साहित्य के मूल में उद्देश्य होता है—अतीत की स्मृतियों को पुनर्जीवित करने का मोह और विश्व के उलझावों में अपने आपको खोजने का

सात्विक प्रयास। यह पुस्तक हवाई जहाज की आत्मकथा होने पर भी उसमें इस भावना का नितान्त अभाव है।

भाषा और शैली का अध्ययन करने पर लगता है लेखक पाठकों को बच्चा समझता है। सुविज्ञ एवं विवेकशील पाठकों के हृदय को बड़ी ठेस पहुँचती है, जब दो-तीन पृष्ठों के बाद एकाएक आत्म-कथाकार हवाई जहाज कह उठता है—प्यारे बच्चो! इसके साथ ही अंग्रेजी शब्दों का बांहुल्य खटकता है जैसे—पायलट, सिगनल रेडियो, राइट्स ब्रदर्स, प्रोपलर जेट आदि। अधिकांश शब्द समझ नहीं आते। पायलट शब्द का अनावश्यक रूप से करीब चौदह बार उपयोग हुआ है।

छपाई, गेटअप आदि साधारण है। मूल्य, इन चालीस पेजों की पुस्तक का आठ आना अधिक है। फिर भी पुस्तक वायुयान चालकों और हवाई जहाज के यात्रियों के लिए उपयोगी है। आशा है, 'हवाई जहाज की आत्मकथा' में दिए अनुभवों से अनेक हवाई जहाज लाभ उठाएँगे।

समीक्षा सिद्धान्तों की विस्तृत चर्चा करते समय एक प्रश्न यह भी प्रस्तुत होता है कि स्वयं कवि अथवा कलाकार द्वारा अपनी कृति की आलोचना क्या आलोचना का सर्वश्रेष्ठ रूप है? कतिपय सहयोगी विद्वान इसे अवैज्ञानिक बताते हैं। उनका भ्रम यह है कि सौन्दर्यबोध एवं वास्तविक मूल्यांकन के लिए समीक्षक वाली तटस्थता अनिवार्य है। मैं इसे नहीं मानता। अपने उपन्यास के विषय में जिस विस्तार से मैं कह सकता हूँ और कहता रहता हूँ, दूसरा नहीं कहता। शायद कह ही नहीं सकता। आलोचना का लक्ष्य यदि साहित्यगुणों को प्रकाश में लाना है तो प्रत्येक पुस्तक के मामले में आपको लेखक की ही शरण लेनी होगी। हिन्दी में यही स्थिति है। इसी कारण आये दिन पत्र-पत्रिकाओं में प्रसिद्ध लेखकों का अपनी रचना के विषय में स्पष्टीकरण छपता रहता है। लेखक कस्बे की कहानी लिखता है। आलोचक उसे गाँव की कहानी समझ बैठता है। लेखक को स्पष्ट करना होता है कि उसकी कहानियाँ गाँव या शहर की कहानियाँ नहीं,

कस्बे की कहानी है और वह कस्बा भी दक्षिणी उत्तर प्रदेश के एक अंचल का।

स्वयं कृतिकार को अपनी रचना के विषय में ऐसे लम्बे स्पष्टीकरण नहीं देने पड़ें यदि हिन्दी के आलोचक आलोचना-प्रणाली में अन्तर कर लें। यद्यपि एकाएक यह होना कठिन है, परन्तु धीरे-धीरे ऐसी स्थिति सम्भव है। समीक्षा-प्रणाली में आमूल परिवर्तन करना होगा। आलोचना लिखने के पूर्व पुस्तक का अध्ययन कर डालने की आदत डाल लेनी चाहिए। धीरे-धीरे यह स्थिति सम्भव हो सकती है। एकदम तो नहीं होगा। मैं चाहता हूँ कि हिन्दी में कुछ नवयुवक आलोचक आदर्श के रूप में यह कसम खा लें कि वे पुस्तक पढ़कर ही आलोचना लिखेंगे। मैंने भी यह निश्चय कर लिया है कि भविष्य में आलोचना के पूर्व छोटी पुस्तकें तो अवश्य सम्पूर्ण पढ़ लिया करूँगा।

प्रायः मैं सोचता हूँ कि आलोचना का सर्वश्रेष्ठ प्रकार कौन-सा है? इस गुत्थी को सुलझाने में मुझे बड़ा कष्ट हुआ। कुछ अच्छे आलोचकों से विचार-विनिमय भी किया, पर कोई रास्ता नजर नहीं आया। गहरे मनन के बाद मैं आलोचना की अनुल्लेखवादी परम्परा को ही श्रेष्ठ मानने लगा हूँ। किसी लेखक अथवा पुस्तक की सबसे भयंकर आलोचना है उस पर कोई चर्चा नहीं करना। मौन से बढ़कर कोई आलोचना नहीं। 'साइलेंस इज गोल्डन' अर्थात चुप्पी में सोना है। किसी प्रयोगशील कवि ने क्या ही सुन्दर कहा है—"एक मौन ही है जो अब भी नयी कहानी कह सकता है, संसृतियों की, संस्कृतियों की, तोड़ सभ्यता की चट्टानें, नयी व्यंजना का सोना बस इसी राह से बह सकता है।" आलोचना में नयी व्यंजना है—मौन!

❑❑❑

[श्री शरद जोशी के तत्कालीन आवास 30/1 साउथ टीटी नगर, भोपाल में 'कमलमुख बी.ए.' का यह ग्रन्थ लिखा गया था।]